JN097770

新型コロナとコロナ不況の克服

危機に打ち勝つ総合政策

林 直嗣
HAYASHI Naotsugu

花伝社

はしがき

２０１９年10月、安倍晋三内閣は税率８％から10％への消費税増税に踏み切り、実質経済成長率は10‐12月期に△１・３％のマイナス成長、翌２０２０年１‐３月期には△２・２％のマイナス成長と更に落ち込みました。増税のコストプッシュ（費用圧力）により物価は１・３％上昇し、名目ＧＤＰでは４・８兆円の損失、実質ＧＤＰでは６・７兆円の損失が生じて、景気が悪くなりました。これが消費税増税不況です。

それに追い討ちをかけるように２０１９年12月、中国・武漢で発生した新型コロナウイルス感染症は、瞬く間に世界中に伝染して大流行し（パンデミック）、日本でも２０２０年４月には第１波を迎えました。安倍内閣は４月７日、第１回目の緊急事態宣言を発出し、経済活動の７割自粛を要請したところ、経済は更に大幅に悪化、４‐６月期は△10・２％のマイナス成長と戦後最悪の転落となりました。７‐９月期も△５・５％のマイナス成長であり、政権は持ちこたえることができず、菅内閣にバトンタッチされました。

その後10‐12月期は△１・０％、２０２１年１‐３月期は△１・５％とマイナス成長は６四半期（１年半）と深刻な不況が続いており、名目ＧＤＰでは８・７兆円の損失、実質ＧＤＰでは

8・1兆円の損失が生じました。ワクチン対策などコロナ対策の出遅れや失策などもあって、7月の世論調査では菅内閣の支持率は29％と、政権維持ラインの3割を切って発足以来最低となりました。そのため菅総理は、9月の自民党総裁選には不出馬を表明し退陣することになりました。

9月29日の自民党総裁選では、岸田文雄氏が新総裁に選ばれましたが、秋の衆議院選挙では「新型コロナに打ち勝ち、コロナ不況を克服する政策」について、与野党間で真摯な政策論争が期待されます。

新型コロナ禍のような重大な危機の管理政策では、Ⓐ危機に対して早めに速やかに対応すること、Ⓑ大幅かつ急激に経済活動を抑制して大きなショックや不況をもたらさないこと、Ⓒ急激な制限解除や緩和によるリバウンド効果によって感染者、重症者、死亡者を激増させないこと、が極めて重要な原則・鉄則です。

しかし日本では、専門家会議や政府が有効な抜本的医療対策を立案できなかったため、これら原則・鉄則に反し、慌てて急激で大幅な経済活動抑制策に走りました。その結果、Ⓐ危機に対して早めに速やかに対応せず大幅に遅れた、Ⓑ7割も大幅かつ急激に経済活動を抑制して大きなショックや戦後最悪のマイナス成長と大不況をもたらした、Ⓒその反動でＧｏ Ｔｏトラベルなど急激に緩和し大きなリバウンド効果によって感染者を第1波に比べて第3～4波では

10～11倍、第5波では36倍にも激増させ、死亡者を3～7倍ほどに激増させた結果となりました。極めて重大な失策であったと言えます。

これは専門家会議に危機管理政策や経済政策論の専門家がおらず、誤った判断をしたことが致命傷となりました。急激な経済自粛策を要請し、その後急激な解除をするという「Stop & Go 政策」ないしドタバタ劇を行えば、感染者、重症者、死亡者が激増することは自明の帰結であり、故意ではないにせよ、重過失や未必の故意には該当するでしょう。その責任は重大です。

1985年、プラザ合意による円高に対して日銀は急激な金融緩和を行い、過剰流動性により史上最悪のバブルを発生させました。バブルの過熱に対して1989年、日銀は急激な金融引き締めを行ったため、翌1990年からバブルは一挙に崩壊し、13年間に亘る平成長期デフレ不況を招きました。急激な緩和策や引き締め策を繰り返すドタバタ劇である「Stop & Go 政策」が、民間経済の自律的な循環活動に対して極めて恣意的で有害な人為的悪影響を及ぼしました。金融政策は単に金融面だけでなく、経済全体に影響を及ぼすので、総合的な政策効果を体系的に検討してから実施する必要がありますが、そうした総合的で体系的な政策判断ができなかったことが致命傷となりました。

2011年に東北地方太平洋沖地震が襲来し、大津波が押し寄せました。海岸に建設された福島原子力発電所は海岸の痕跡高14～15ｍの大津波に襲われて壊滅的な打撃を受け、周辺地域は現在でも復興の目処が立っていません。驚くことに福島原発は、設計段階ではわずか６ｍの津波にしか耐えられないように設計されていました。１８９６年の明治三陸沖地震では、海岸での痕跡高は14ｍ、遡上高は38・２ｍと推計されているので、まさに誤った判断による重大な失策であったと言えます。

原発を実際に設計・建設する場合には、地質学、地震学などを含む総合的な専門知識が必要であり、全ての関連する専門家を入れた会議で最終決定するべきですが、そうした総合政策的な検討をできなかったことが致命傷となりました。一分野の専門家だけでは全く不十分であり、関連する全ての分野の専門家を入れて検討し、それらの諸分野の意見を充分に聞く耳を持たなければ、単なる一分野の「蛸壺型の専門家」に過ぎません。それがどれほど重大な破滅的被害をもたらすか、十分に理解する必要があります。

「歴史は繰り返す」という諺通り、新型コロナの対策でも「専門家会議」には全ての関連分野の専門家が入らず、一面的で偏った間違った判断を繰り返しました。

つまり重大な危機の管理政策においては、単なる一分野だけでなく関連する全ての分野の専門家を入れて協議し、多面的で総合的な観点から有効な対策や政策を打ち出す必要があります。それこそが加藤寛先生（日本経済政策学会初代会長、慶應義塾大学名誉教授）が創設された「総合政策学」の極意です。

そこで本書ではこうした危機管理政策、経済政策、医療政策などに跨がる総合政策学の観点から、戦後最悪のマイナス成長と大不況をもたらした新型コロナ禍に関する失策の原因を多面的かつ徹底的に究明し、それを克服して新型コロナに打ち勝つ総合的な政策とは何か、を明らかにしていきます。

また本書は、経済政策および総合政策専攻のエコノ教授が中心となって、医学専攻のアナとビジネスパーソンのカムイとの会話形式で、問題点を多面的かつ体系的に、しかも分かり易く明らかにしていきます。

本書は研究書・専門書ではありませんので、対象とする読者は専門家というより一般の読者の方々であり、多くの国民の皆様に日常生活の観点からお読み頂き、日本や世界が直面する危機を克服する総合的な諸方策について考えて頂く機会を提供できれば幸いです。

なお、医療政策に関連する章で、ビタミンDの免疫力増強効果に関する研究をされている満尾正医学博士（満尾クリニック院長）、カテキンが抗体と同様にコロナウイルスのスパイクに付着して不活化する効果を研究されている矢野寿一教授（奈良県立医科大学）と松田修教授（京都府立医科大学）、キラーT細胞を感染後の完治者から析出してiPS細胞を活用して複製に成功された河本宏教授（京都大学）には貴重なコメント頂き、厚く御礼申し上げます。とりわけ松田修教授には、第1～2章を丁寧に校正して頂き、改めて御礼申し上げます。

他方で、新型コロナウイルスは自然変異と異なり、遺伝子操作などによって人為的に変異された部分があるので、2003年のSARSや2012年のMERSと比べてRNA配列が変異しやすい性質を持ち、感染拡大の収束は長引くかも知れないという見解もあります。今後とも「蛸壺型専門家」に陥ることなく、総合政策的に慎重に全ての動向を見極めながら、事態の打開に向けて弛まざる努力を続けることが望まれます。

著者

目　次

第Ⅱ部 経済をどう立て直すか

第Ⅰ部　検証・日本のコロナ対策

第1章　新型コロナの大流行とあるべき対策・政策とは何か

1　新型コロナウイルス感染症はどのように発生したか

新型コロナ感染症の発生と初動対応

エコノ教授：現在世界中で大流行している新型コロナウイルス（ＳＡＲＳ-ＣｏＶ-２、以下新型コロナ、コロナとも略記）による感染症（ＣＯＶＩＤ-19、以下コロナ感染症とも略記）が、そもそもどのように発生したか、アナから報告してもらいましょう。

アナ：文春オンラインの記事によると、２０１９年12月16日、１人の患者が武漢市中心病院の救急科に運び込まれました。原因不明の高熱が続き、各種の治療薬を投与しても効果が現れず、体温も全く下がりませんでした。12月22日、患者を呼吸器内科に移し、検体サンプルを外部の検査機関に送ったところ、「コロナウイルス」との検査結果が報告され、患者は武漢市の華南海鮮卸売市場で働いていたことが分かりました。病院で確認された新型コロナ感染症の最初の患者ですね。担当した主任の艾芬（アイ・フェン）医師は、カルテで「ＳＡＲＳコロナウイルス、緑膿菌、46種口腔・気道常在菌」、「ＳＡＲＳコロナウイルスは一本鎖プラス鎖ＲＮＡウイルス。このウイルスの主な感染は近距離の飛沫感染で、患者の気道分泌物に接触することにより明確な感染性を帯び、多くの臓器系に及ぶ特殊な肺炎を引き起こす。ＳＡＲＳ型肺炎」と確認しました。同僚の李文亮医師は、ウィーチャット・グループにその情報を発信しました。

それに対して、武漢市衛生健康委員会から12月30日に「市民のパニックを避けるために、肺炎について勝手に外部に情報を公表してはならない。もし万一、そのような情報を勝手に出してパニックを引き起こしたら、責任を追及する」という通知があり、1月1日には「出頭せよ」という指令がありました。両医師らは前代未聞の厳しい譴責（けんせき）を受けたと言い、その後、李文亮医師は感染して死亡、艾芬医師は消息不明になりました。

この武漢市当局による初動対応の間違いから、世界を震撼させたパンデミック・世界的大流行が始まったわけです。この時、両医師の報告を誠実に聞いて真相を究明し、直ちにコロナ感染症の治療と対策を強化したならば、コロナ感染症を武漢市内に封じ込め、中国全土や世界中への新型コロナ感染拡大を防げたはずと言われています。

近年のコロナウイルス感染症の流行

カムイ：僕もコロナウイルス感染症について調べてみました。今世紀に入って、コロナウイルスの感染症が世界的に拡大してきています。２００３年の重症急性呼吸器症候群（ＳＡＲＳ）

のコロナウイルス（ＳＡＲＳ−ＣｏＶ）は中国・広東省が起源であり、コウモリが発生源と考えられ、ハクビシンやタヌキなどを中間宿主として主に中国で流行したそうです。感染者は合計約８１００人であり、死者は７７４人で、致死率は９・６％と高かったです。しかし、２００３年７月にはほぼ終息し、経済への影響はそれほど大きくなかったと言えます。

２０１２年の中東呼吸器症候群（ＭＥＲＳ）のコロナウイルス（ＭＥＲＳ−ＣｏＶ）も中国発と見られ、コウモリ・コロナウイルスと相同性が高いので、コウモリが発生源と見られます。ヒトコブラクダを中間宿主として主にサウジアラビアなど中東で流行しました。感染者は約２２００人であり、死者は７９０人で、致死率は35・６％とかなり高かったが、これは更に規模が小さかったため、経済への影響は大きくはありませんでした。両者とも日本での感染例はないそうです。

新型コロナウイルスの発生源

エコノ教授：２０１９年末からの新型コロナウイルスは、キクガシラコウモリのコロナウイルスと相同性が高いのでそれが発生源と見られます。しかし、湖北省武漢はその生息域ではなく、華南海鮮卸売市場でも食用取引はされていないので、その市場に距離が近い武漢病毒研究所で管理実験していたキクガシラコウモリのコロナウイルス株が変異して研究所関係者に感染し、その人が華南海鮮卸売市場へ行って感染が広がったと見る説が有力です。

藤和彦氏の指摘によると、2020年5月29日付英国デイリー・メールの報道では、ウイルス学者のダルグレイス氏（英国）とソーレンセン氏（ノルウェー）は、2002年から2019年までの武漢ウイルス研究所の実験結果を分析した結果、「武漢ウイルス研究所の研究者は、コウモリが保有するコロナウイルスの人に対する影響を研究する過程で、新型コロナウイルスを作り出した」と結論付けています。コロナウイルスのトゲトゲ部分であるスパイクタンパクの先端は、もともとアスパラギン酸というマイナスの電荷を帯びるアミノ酸でしたが、グリシンという電荷を帯びないアミノ酸に変異したために、ウイルスのスパイクの数が大幅に増加すると同時に、人のACE2受容体への結合力も格段に強くなりました。ところが、この突然変異が自然に発生する確率はほとんどゼロに等しいために、両氏は「人の手が加えられた」と主張している訳です。

事実、2012年に「雲南省の洞窟に入った住民が新種の肺炎を発症している」との情報を得た武漢ウイルス研究所の研究員が、洞窟に生息するコウモリから新型コロナウイルスと遺伝子が酷似するコロナウイルスを採取したと報道されています。その後武漢では2019年8月から新型コロナウイルスのワクチン研究が始められていたという報道がされているから、当時既にヒトへの感染例が発生していたはずです。WHO調査団が2021年2月に中国へ行って「武漢病毒研究所から漏れた可能性は低い」という調査結果を出しましたが、調査団が来る前にほとんどの証拠を整理した可能性が指摘されています。

新型コロナの感染方式

アナ：医学の見地から見ると、新型コロナウイルスは細胞膜がない非生物であり、その表面のスパイクが喉や鼻の奥の粘膜に付着して感染し、そこで増殖するから、風邪やインフルエンザと症状が似ているところがあります。会話や咳やクシャミなどの飛沫感染で急速に感染拡大が起こり、桁違いの凄まじい感染率となっています。ウイルスが喉から肺に侵入して肺炎を起こすと急激に重症化し、激しい喉の痛みや味覚障害、37・5℃以上の高熱が続きます。更に過剰反応をして正常な自己細胞を攻撃するサイトカインストームを起こすと、呼吸困難や心肺停止となって死亡に至ります。免疫力が弱い方や既に基礎疾患を抱えている方は、特に注意が必要ですね。

2　結局は感染者や重症者や死亡者を大幅に増加させた緊急事態宣言

新型コロナ感染者数は第1波から第5波まで激増

エコノ教授：2019年12月に中国の武漢で新型コロナ感染症の患者が発生して以来、世界中に感染が拡大し、世界的大流行（パンデミック）を引き起こしています。日本でも図1-1の通り2020年4月の第1波、2020年7～8月の第2波、2020年12月～2021年1月の第3波、2021年4～5月の第4波、2021年7～8月の第5波と、次第に感染者数

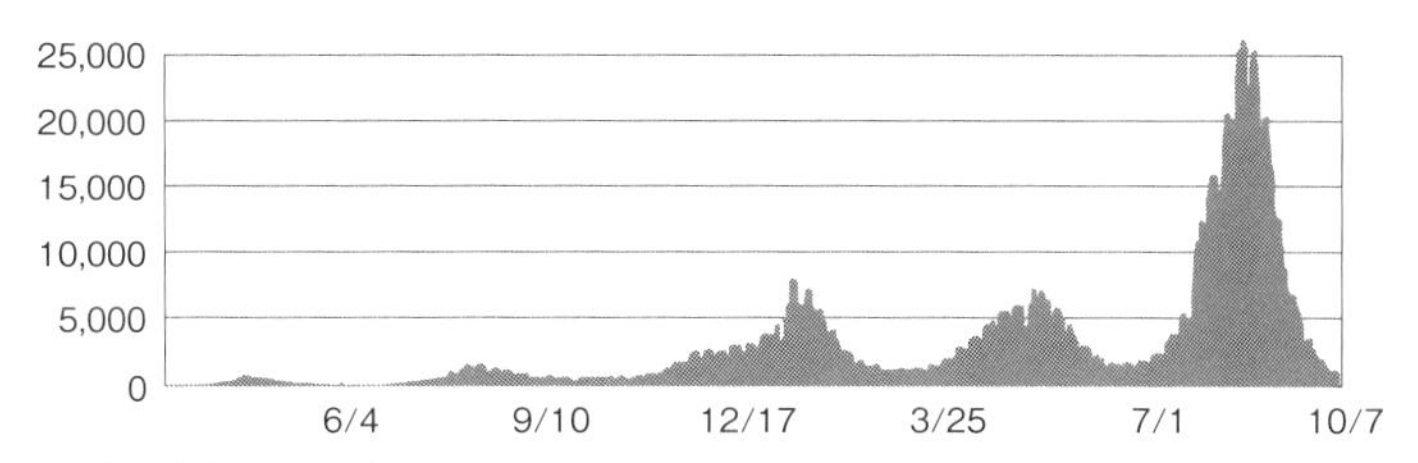

※現在感染者数は累計感染者数から退院者数と死亡者数を減じた数値です
※各数値は更新時間の時点で発表された値を合計したものです
※横浜港に到着したクルーズ船「ダイヤモンド・プリンセス」を除きます

図１−１　新型コロナの国内感染者数（2021年10月7日現在）

出典：厚生労働省

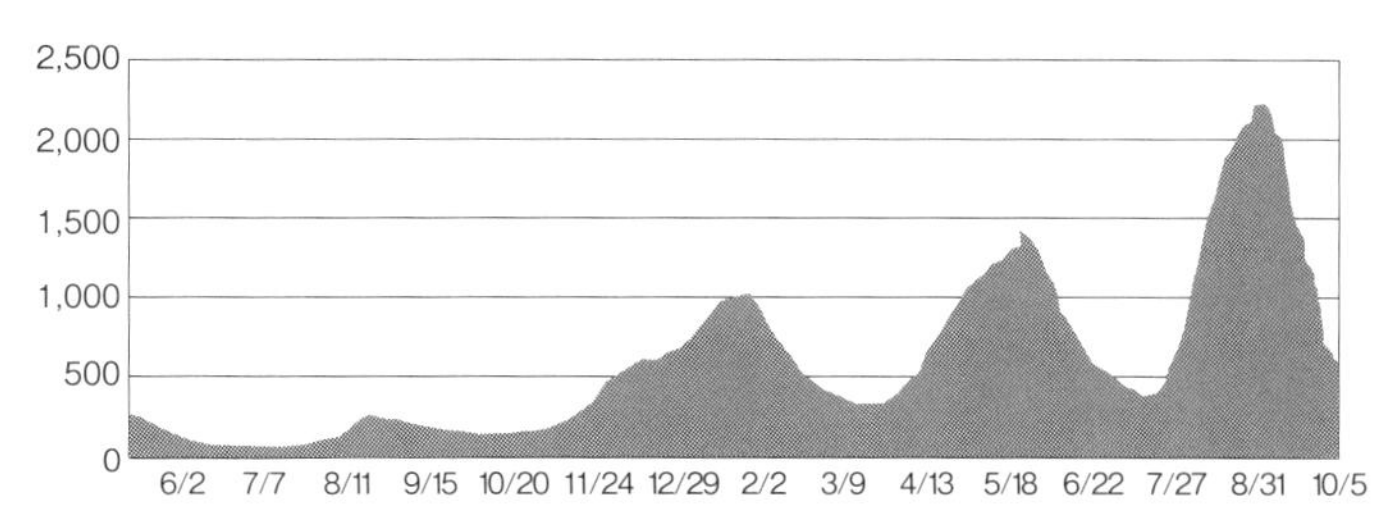

図１−２　日本のコロナ重症者数の推移（2021年10月5日現在）

出典：厚生労働省

は増えています。最大数は第１波の７２０人に比べて第３〜４波では最大で１日当たり約７０００〜８０００人、約10〜11倍にも大きく膨れ上がり、第５波では約２万６０００人、実に約36倍にも激増する傾向にあります。

図１−２のように、重症者数も激増の一途を辿っています。また、図１−３のように、新規の死亡者数も感染者数と同様に第１波から第４波までは激増の大波が生じており、死亡者数は最大で１日当たり約31名か

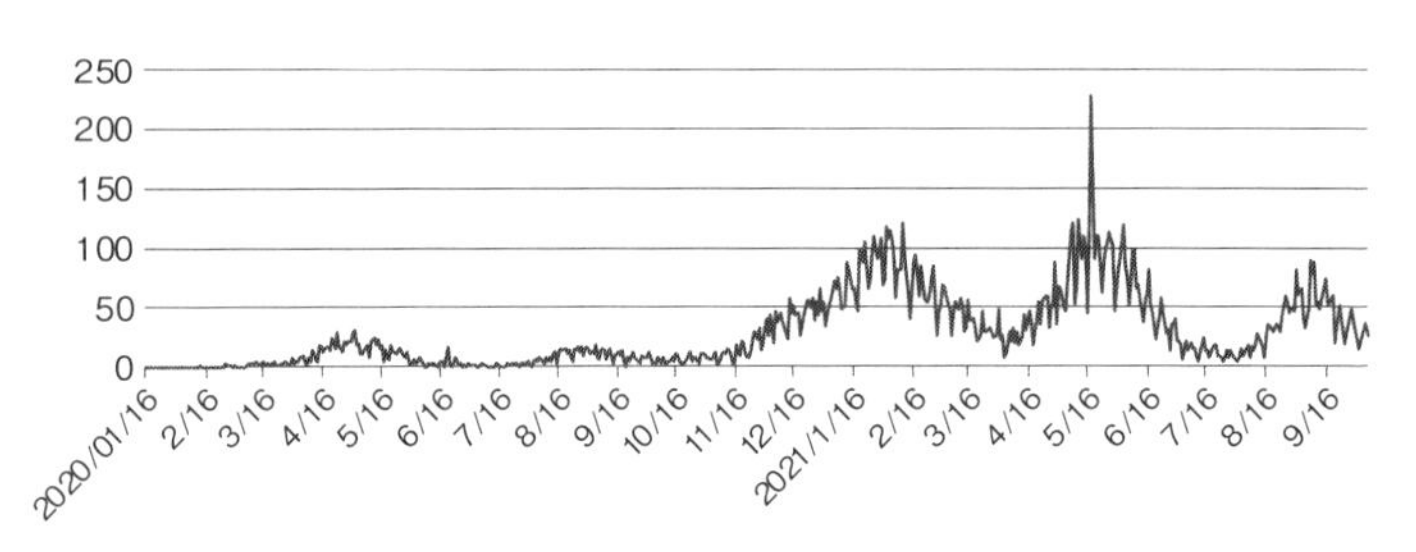

図1－3　コロナ新規死亡者数の推移（2021年10月6日現在）

出所：厚生労働省統計から筆者作成

表1－1　1日当たり最大感染者数、最大入院者数、最大死亡者数、感染ピークからのタイムラグおよび対第1波倍率

波	日付	感染者数	対1波倍率	日付	入院者数	タイムラグ	対1波倍率	日付	死亡者数	タイムラグ	対1波倍率
第1波	2020/4/11	720		2020/5/4	11,935	23日		2020/5/2	31	22日	
第2波	2020/8/7	1,605	2.23	2020/8/10	13,724	3日	1.15	2020/8/28	20	21日	0.65
第3波	2021/1/8	7,957	11.05	2021/1/18	71,129	10日	5.96	2021/2/10	121	33日	3.90
第4波	2021/5/8	7,233	10.05	2021/5/15	73,424	7日	6.15	2021/5/18	216	10日	6.97
第5波	2021/8/20	25,868	35.93	2021/8/29	231,596	9日	19.40	2021/9/8	89	19日	2.87

出所：厚生労働省統計から筆者作成

ら約216名まで7倍にも大幅に増えています。

ただし第5波では死亡者数の最大は9月8日の89人であり、その前のピーク5月18日の216人よりは少ないですが、ピークは感染者数のピークより約20日～1ヵ月遅れです。また感染者に占める死亡者の割合、つまり致死率ないし致命率は、第1波では非常に高かったですが、病院の懸命な治療行為や治療技術の向上によって第4波では約半分に減ってきました。

緊急事態宣言の急激な発出と急激な解除

新型コロナ感染者数が最大で1日当たり約720人にも上る感染爆発が続いて、新型コロナ感染の被害が、①国民の生命・健康に著しく重大な被害を与える恐れがあること、②全国的かつ急速なまん延により国民生活・国民経済に甚大な影響を及ぼすかその恐れがあること、という2つの条件が満たされたため、2020年4月7日に政府は緊急事態宣言を発出しました。人との接触を「最低7割、極力8割」減らすことを目標に、不要不急の外出や営業の自粛、テレワークの促進などを要請し、その結果、感染者数が1日当たり20人ほどに減って第1波が収まったと判断できたため、5月25日には解除しました。法的拘束力を持たない「要請」であるため、「発令」ではなく「発出」と呼んでいます。

緊急事態宣言により経済活動の自粛が求められ、経済成長率は大きくマイナスに落ち込みました。宣言解除後、収入や利益が急激かつ大幅に減少した人々は、それを回復しようと経済活動を急激に再開したため、感染者数は大きなリバウンド効果によって激増しました。最大で1日当たり約1600人と2倍以上に増えて、更に大きな第2波が2020年7月から8月に起こりました。

緊急事態宣言は経済活動自粛の単なる一時的抑制効果を持ったに過ぎず、宣言解除により更に大きなリバウンド効果が起こったのです。政府の「専門家会議」には危機管理政策や経済政策論の専門家はほとんどおらず、誤った判断による重大な失敗を招きました。

なぜ第2波は緊急事態宣言無しで収束したのか

第1波のリバウンドとして起こった第2波ですが、緊急事態宣言を発出しないで収まっています。その原因は、新型コロナウイルスとそれが宿主とするキクガシラコウモリ（菊頭蝙蝠）の動物学的な生息特性にあると見られます。

コロナウイルスが宿主とする夜行性のキクガシラコウモリは、中国雲南省などを生息域とし、太陽の日差しが当たらず、暗くジメジメと湿気が多く気温が低い洞窟の環境を好む傾向があります。太陽光線、特に紫外線を照射すると不活化・消毒できることが、コロンビア大学の実験により検証されました。実験ではウシオのCare222TM（222nmの波長）を用いましたが、これは人体への影響がほとんどなく、ウイルスの不活化・消毒効果があるので、早期の実用化が期待されます。よって、太陽光や紫外線をできるだけ強く当て、明るく高温で乾燥した状態にすれば、コロナウイルスは不活化し消毒できます。

２０１８年７月23日（大暑の日）、日本の埼玉県熊谷では41・１℃の最高気温を記録しましたが、同日アメリカ・カリフォルニア州の死の谷（Death Valley）では、52℃の最高気温を記録しました。乾燥した砂漠で50℃を超える高温が続くと、植物や動物など全ての生命やウイルスが死に絶えます。まさに死の谷の名前の所以です。よって２０２０年７月末から８月になって真夏の太陽の日差しや紫外線が強まり、高温で乾燥してくると、それらに弱いコロナウイルスの感染力が弱まったため、感染者数は９月23日には２１６人と最少となって、緊急事態宣言を発出せずに、第２波は次第に収束に向かったものと推察されます。

第３波は第１波の約11倍に激増

さて２０２０年11月以降、晩秋を迎えて太陽の日差しや紫外線は弱まり、低温で湿潤となるにつれて、コロナウイルスの生息環境は良くなりました。経済活動の再開と相まって、感染者数は最大で１日当たり約８０００人、第１波の約11倍と急激に爆発的に増えました。更に大きな第３波の発生です。

政府は２０２１年１月７日に２回目の緊急事態宣言を発出し、人との接触を７割減らすことを目標に、不要不急の外出や営業の自粛、テレワークの促進などを要請しました。その結果、感染者数が１日当たり約60人と減って第３波が収まったと判断したため、２月８日には解除しました。しかしこれは、第1波の解除をした時の約20人と比べ、約3倍に増えています。

第4波は第1波の10倍に激増

コロナ禍で2回目の春を迎えました。太陽の日差しや紫外線は次第に強まり、温度も上がり、コロナウイルスの生息環境は厳しくなってきましたが、経済の急激な落ち込みを回復しようと経済活動の再開が急激に始まります。5月大型連休という事情もあり、2021年4~5月には感染者数は最大で1日当たり約7200人、リバウンド効果により第1波の約10倍へと増えました。第4波の発生です。

第4波ではもともとの武漢型だけでなく、最初に報告された国に因んでイギリス型アルファ株、アフリカ型ベータ株、インド型デルタ株などの変異株が増殖したこともあり、14都道府県で1日当たり感染者数で過去最高を記録、10万人当たりの療養者数が30人以上となるステージ4の「爆発的感染拡大」が17都道府県に及びました。そこで政府は2021年4月25日に3回目の緊急事態宣言を発出し、人との接触を7割減らすことを目標に、不要不急の外出や営業の自粛、テレワークの促進などを要請しました。

感染者数が減れば5月11日には解除する予定でしたが、大型連休明けの5月12日、感染者数は減るどころか7057人と更に増えたため、5月11日、3回目の緊急事態宣言を6月20日まで延長することにしました。しかし、それが解除された時の感染者数は1日当たり1300人ほどで第2波のピークに近かったため、特に多い埼玉、千葉、神奈川、大阪の1府3県に対してはまん延防止等重点措置を発出しました。本来はとても解除できる状態ではなく、解除の時期が早すぎた稚拙な判断ミスと言えるでしょう。

第5波で大激増して36倍に

その後も次第に感染者数は増え、7月初めには1日当たり2400人ほどに増加し、7~8月には超大型の感染爆発となる第5波が襲来しました。2021年東京オリンピックは中止・延期しないが、感染者数が次第に増加して第5波が来つつあったため、政府は苦渋の選択として、7月12日には東京都に対して8月22日までの予定で4回目の緊急事態宣言を発出し、埼玉、千葉、神奈川、大阪の1府3県に対してはまん延防止等重点措置を8月22日まで継続するように発出しました。

しかしこうした緊急事態宣言やまん延防止措置の延長にもかかわらず、第5波では感染者数は大爆発を続け、8月20日には過去最多の1日当たり2万5868人にも上って、重症者数も第3~4波よりも更に激増しています。死亡者数は第4波の後、7月12日の4人を底に増え始め、9月8日には89人にまで増加しています。「専門家」と称する人の中には、8月8日に「第4波までは新規感染者数の増加から少し遅れて死亡者数が増加していました。しかし、第5波ではこれまでのような増加傾向は今のところはありません。亡くなる方が増えていないと

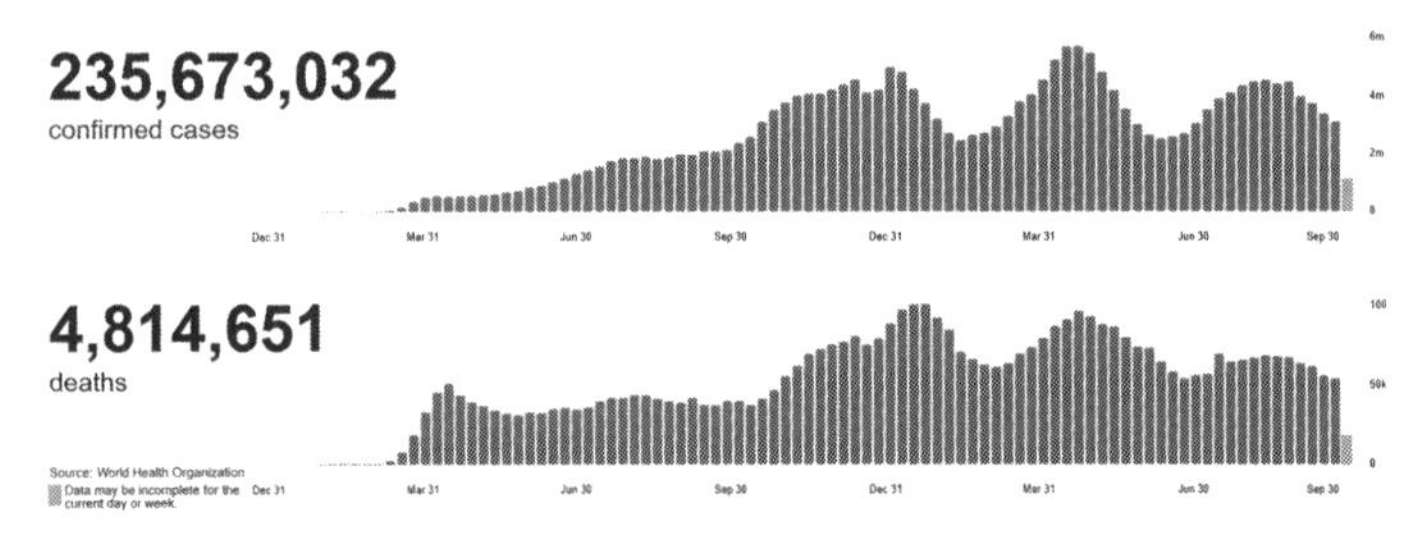

図１－４　世界全体の新規感染者数と死亡者数の推移（2021年10月７日現在）

出典：WHO

いうことは、この現在の大変な状況において数少ない良いニュースの一つと言えます」と説明していますが、これは波のタイムラグを理解できていないための事実誤認です。

　死亡者数は第５波でも１日最大89人と増えていますが、第３〜４波よりも増え方が少なくなりつつあります。これは、中和抗体などを駆使した中等症・重症段階での治療技術が向上してきたことを反映していると推察されます。単純にワクチン接種が増加したのが原因だと言い切ると、「ワクチン接種の増加は感染者や重症者を激増させ、死亡者を少しだけ増加させた」という因果関係になるので、理論仮説として採用することは難しいです。

　図１－４には世界全体の新規感染者数および死亡者数の推移が示してありますが、第１波や第２波に比べて第３波や第４波が激増したのは、日本の激増パターンとよく似ています。しかし日本の第５波では36倍もの大激増が起こったのに対して、世界全体では第５波は第４波よりも減衰してきています。その違いは何によるものか、まさに日本に

特有の原因があります。

緊急事態宣言の急激な発出と解除は、なぜ感染の大波を激増させたか

4回に亘る緊急事態宣言にもかかわらず、新規感染者数のビッグウェーブ（大波）は5回も起こり、感染者数は約10～36倍に、死亡者は3～7倍に大きく膨れ上がってきました。日本の緊急事態宣言の場当たり的で不適切なやり方では、新型コロナの感染者数や重症者数や死亡者数を単に一時的に減らすに過ぎず、それを上回る大きなリバウンド効果により、逆にそれらを大幅に激増させてきたと言えます。よって根本的な解決策には全くなっておらず、重大な失敗だったと言わざるを得ません。

政府は厚生労働省に設置された「新型コロナ感染症対策専門家会議」の答申を基に政策を実施しましたが、専門家会議の答申自体には医学的な予防・治療となる抜本的な医療対策はほとんどなく、そのため経済活動の抑制により感染症の拡大を防ぐ経済対策が中心となりました。ところが、経済政策論や危機管理政策の専門家がいなかったので全く誤った判断となり、トレンドとして感染者を約10～36倍に、死亡者を約3～7倍にも大幅に増やす最悪の結果となり、その責任は重大であると言わざるを得ません。

3　緊急事態宣言が政策として失敗した原因

第5波では感染率（陽性率）・入院率は上がったが致死率は下がっている

エコノ教授：ではそれらの重大な失策の原因を細かく検討してみましょう。まずカムイに主要な問題点を分析してもらいましょう。

カムイ：分かりました。

厚生労働省のデータでは**表1－2**の6月15日現在、PCR検査の陽性率は5・2％であり、国民の約95％は陰性です。感染者＝陽性者のうち入院を要する患者は3・7％であり、無症状か軽症で自宅療養の割合は96・3％、退院または療養解除となった者の割合は94・4％となっており、致死率（＝死亡者数／感染者数）は1・8％です。

最大級の第5波が始まってから8月21日現在では、PCR検査の陽性率は6・4％に上がり、国民の約94％は陰性です。感染者のうち入院を要する患者は15・5％と約4倍に増えて症状は悪化しています。無症状か軽症で自宅療養の割合は84・3％です。退院または療養解除となった者の割合は82・8％と減って、第5波では医療逼迫が起こっていることを示唆しています。ところが致死率（＝死亡者数／感染者数）は1・8％から1・2％に減っており、累計データで見ると、**表1－3**のように、累計致死率（＝累計死亡者数／累計感染者数）は２０２０年

表1－2　コロナ感染症の発生状況

＊発生状況（令和3年6月15日0：00現在）　　括弧内は前日比

	PCR検査実施人数	陽性者数	入院治療等を要する者の数		退院又は療養解除となった者の数	死亡者数	確認中
				うち重症者の数			
国内事例（チャーター便帰国者を除く）	14,763,205 (+60,314)	773,268 (+930)	28,228 (-2,302)	827 (-22)	730,343 (+ 2,865)	14,121 (+ 55)	1,608 (-540)
空港、海港検疫	730,947 (+3,347)	3,024 (+6)	61 (+1)	0	2,958 (+ 5)	5	0
チャーター便帰国者事例	829	15	0	0	15	0	0
合計	15,494,981 (+ 63,661)	776,307 (+ 936)	28,289 (-2,301)	827 (-22)	733,316 (+ 2,870)	14,126 (+ 55)	1,608 (-540)

＊発生状況（令和3年8月21日0：00現在）　　括弧内は前日比

	PCR検査実施人数	陽性者数	入院治療等を要する者の数		退院又は療養解除となった者の数	死亡者数	確認中
				うち重症者の数			
国内事例（チャーター便帰国者を除く）	19,538,125 (+29,228)	1,248,539 (+25,859)	193,355 (+12,249)	1,888 (+72)	1,033,914 (+ 13,167)	15,556 (+ 29)	6,112 (-506)
空港、海港検疫	950,558 (+4,135)	3,741 (+18)	158 (+4)	0	3,576 (+ 14)	7	0
チャーター便帰国者事例	829	15	0	0	15	0	0
合計	20,489,512 (+33,363)	1,252,295 (+25,877)	193,513 (+12,253)	1,888 (+72)	1,037,505 (+13,181)	15,563 (+ 29)	6,112 (-506)

出典：厚生労働省

表１－３　日本の累計の感染者数、死亡者数、致死率

日付	累計感染者	累計死亡者	累計致死率％
2020/3/22	1,102	41	3.72
2020/4/18	10,510	224	2.13
2020/6/20	17,872	959	5.37
2020/8/7	45,935	1,043	2.27
2021/1/8	275,341	3,963	1.44
2021/5/8	635,190	10,846	1.71
2021/8/20	1,257,565	15,581	1.24
2021/9/14	1,651,392	16,909	1.02

出典：厚労省オープンデータから作成

３月には３・７％、２０２０年６月には５・４％と高くなりましたが、その後は低下傾向にあって、２０２０年８月には２・３％、２０２１年１月には１・４％、２０２１年９月には１・02％にまで下がっています。中和抗体などを使った治療技術が向上してきて、自然感染やワクチンの接種などにより自然免疫や獲得免疫が向上してきた効果が出始めている一方で、感染者が激増したためと言えます。

「Stop & Go 政策」は危機管理政策としては最悪

１日当たりの最大感染者数は第１波では７２０人、第２波では約１６００人、第３波では約８０００人、第４波では約７０００人、第５波では実に約２万６０００人と、大激増しました。その原因としては危機管理政策の失敗があります。

①２０２０年４月の第１波では、感染爆発に至る前、１日２００～３００人程度の時に遅滞なく速やかに対策

を講じるべきでした。

②2020年4月7日に政府は緊急事態宣言を発出し、人との接触を7割減らすことを目標に、不要不急の外出や営業の自粛、テレワークの促進などを要請しました。しかしいきなり人との接触を7割も減らす急激な活動抑制策を行うと、経済活動は大ショックを受けて急激に委縮し、非常なマイナス成長・大不況となり、多くの国民が甚大な被害を被りました。最初は1~2割の接触を減らす程度で、必要ならもう1割と、漸進主義的で段階的で持続的な自粛・抑制策を早い段階で取るべきでした。

③その後、5月25日には急激な宣言解除を行いましたが、これが非常に大きなリバウンドをもたらし、感染者数を2倍以上に増やすことになりました。急激な宣言解除をせずに、漸進主義的に段階的に持続的な抑制策を堅持するべきでした。

政策としてはほとんど無策だった抗体・免疫力の強化対策

アナ：コロナウイルスに感染した場合、最終的にウイルスに勝てるのは、抗体など免疫力です。緊急事態宣言が失敗したもう一つの原因は、抗体・免疫力の強化対策を最優先で実施するべきでしたが、その医学的な対策が研究段階に留まって政策としてはほとんど無策だったことです。

新型コロナに感染しても無症状か軽症で済む人は約84％いますが、抗体など免疫力を積極的に強化すれば、コロナに感染しても無症状か軽症で済む人を約90％、約95％と増やせるので、自宅療養だけで済みます。だから、病院や特設ホテルで療養する必要がある人は約10%、約5%と減らすことができます。仮に0%にまで減らせば、重症化も死亡もなくなり、病床逼迫も医療崩壊も起こりません。よって抗体など免疫力を質的に高める政策こそが、最優先で実施されるべきでした。

そのためには免疫力を強める対策、例えばビタミンDの摂取を促進することが必須であり、健康維持や体力維持に努める、喫煙や受動喫煙を抑止して肺疾患を減らす対策をとる、ワクチンの予防接種を早期に広範囲にする対策、無症状の完治者から強い中和抗体やキラーT細胞を抽出して培養し特効薬を開発するなどが必要でしょう。しかし実際には、単なる消極的な防御策である経済活動の自粛・抑制策を主に強行したので、経済は萎縮してコロナ大不況をもたらし、企業や商店の多くでは損失が激増し、ついには経営破綻に追い込まれるものが増えてきました。

ワクチンの開発や対策、接種が大幅に遅れたことも原因

イスラエルでは既にほぼ全員のワクチン予防接種が終わり、抗体・免疫力の強化対策を迅速かつ強力に実施した結果、マスク着用の義務さえも外されようとしています。ところが日本では、ワクチン開発も予防接種も世界との比較でかなり出遅れたうえ、抗体・免疫力強化対策がほとんど無策であったため、緊急事態宣言により経済を急激に萎縮させて大不況をもたらした

だけでした。

政府の諮問機関として新型コロナウイルス感染症の「専門家会議」がありましたが、当面の入院患者の手当てに追われて、医学的な予防・治療の抜本的対策はほとんど何もなく、感染者数も重症者数も死亡者数もトレンドとして大幅に激増させる最悪の結果をもたらしました。「医者としては抜本的な医学的予防・治療対策がないので、後は危機管理政策や経済政策の専門家のご意見を伺いたい」と謙虚に対応するべきでしたが、その後も危機管理政策や経済政策の観点で、間違った急激な経済抑制策に走ったことが大失敗の原因です。

カテキン等のウイルス不活化対策がほとんど無策

ワクチン対策とは別に、コロナウイルス感染予防のため、ウイルスを不活化して消毒する対策が考えられ、今後は実用化が期待されます。

奈良県立医大の矢野寿一教授は、試験管にお茶を入れてその中にコロナウイルスを入れたところ、1分でほぼ99%が不活化して感染力を失う事実を実験で検証しました。実験したのは、市販のペットボトルの緑茶2種類、茶葉から入れた紅茶と大和茶（番茶）の計4種類です。それにウイルス入りの液体を混ぜてウイルスの量を測定した結果、茶葉から入れた紅茶では1分後にはほぼ99%が減ったが、その他の3種類ではウイルス減少は90%以下となりました。京都府立医科大学の松田修教授も伊藤園中央研究所との共同研究で、同様の実験によってコロナウイルスを10秒で100分の1以下に不活化する効果を有効に検証しました。

この実験での不活化成分はお茶に含まれるカテキンです。抗体と同様にコロナウイルスの突起状のスパイクに付着するので、コロナウイルスが他の生物に付着できなくなり、不活化し、消毒される訳です。中国、韓国、日本など東アジア諸国では他の諸国に比べてコロナウイルスの感染率や死亡率が低くなっており、その原因は「ファクターX」と言われていますが、その一要因はカテキンではないでしょうか。東アジアでは飲茶の慣習があり、喉や消化器をカテキンが潤すので、感染しても不活化する可能性が高いということです。抗体と同様な効果を持つカテキンによってコロナウイルスを不活化する対策を積極的に促進するべきでしたが、研究段階に留まり、政策としてはほとんど無策でした。

患者の治療やウイルスの除菌・消毒対策は効果があった

入院した中等症や重症の患者を回復させる治療行為は差し迫った最喫緊課題ですが、医療関係者の懸命な努力によって、更なる症状悪化をできるだけ食い止めた努力は、かなり評価されるべきでしょう。

また、コロナウイルスそれ自体を除菌・消毒する幅広い対策が必要です。これは感染したウイルスと戦う免疫力を強化する対策とは違いますが、ウイルスの感染拡大を防ぐ公衆衛生対策の観点では重要な対策です。店舗や会社、交通機関などではアルコール消毒を徹底させ、室内換気を迅速に行い、マスクやゴム手袋をして販売業務を行い、現金を直接手で受け渡ししないようにレジでの決済機械を導入したり、様々な営業努力が行われた結果、コロナウイルスの消毒や感染防止にはかなり役立ったと言えるでしょう。

個人では、マスク着用により飛沫感染をできるだけ減少させ、手洗いに殺菌石鹸やアルコール（エタノール）や次亜塩素酸などを使って接触感染を防ぎ、ウイルスを除去する空気清浄器を室内に設置したり、殺菌うがい薬でうがいをこまめにして、コロナウイルスを除菌・消毒する努力がほぼ国民的規模で行われました。これらは国民の多大の努力によるものであり、それなりの感染拡大防止効果を持ったと見られます。

尾身会長は１３２億円の補助金を不正取得か？

エコノ教授：専門家会議の分科会の尾身茂会長が理事長を務める地域医療機能推進機構（ＪＣＨＯ）傘下の東京都内の５つの公的病院で、１８３床ある新型コロナウイルス患者用の病床が30～50％も使われていないことが、『アエラ』（朝日新聞社）の調査で判明しました。

「尾身氏は国会やメディアで『もう少し強い対策を打たないと、病床のひっ迫が大変なことになる』などと声高に主張していますが、自分のＪＣＨＯ傘下の病院でコロナ専用ベッドを用意しておきながら、実は患者をあまり受け入れていない。こんなに重症患者、自宅療養者があふれているのに尾身氏の言動不一致が理解ができません。ＪＣＨＯの姿勢が最近になって問題化し、城東病院を9月末には専門病院にすると重い腰を上げましたが、対応は遅すぎます。そもそもコロナ病床の確保で多額の補助金をもらっていながら、受け入れに消極的な姿勢は批判されてもしかるべきではないか」と厚労省関係者は批判しています（記事より）。

「病床確保支援事業」では新型コロナ専用のベッド1床につき1日7万1000円の補助金が出て、ベッドは使われなくても補助金が出るため、東京蒲田医療センターでは使われていない約40床に対して、単純計算で1日284万円、1か月で約8500万円が支払われることになります。更に新たに重症患者向けの病床を確保した病院に1床あたり1950万円、中等症以下の病床には900万円を補助する制度が作られて、厚労省関係者から『アエラ』が入手した情報によると、2020年12月から2021年3月だけでも、JCHO全57病院で132億円の新型コロナ関連の補助金が支払われたといいます。しかも多額の補助金を受け取りながら、それがコロナ病床や患者医療に還元されず、有価証券の購入原資になっていた疑いがあるというのです。厚労省関係者は「コロナ病床を空けたままでも補助金だけ連日、チャリチャリと入ってくることになる。まさに濡れ手で粟で、コロナ予算を食い物にしている。受け入れが難しいのであれば、補助金を返還すべきです」と批判しています。

専門家会議とその提言に基づく政府の政策は、杜撰な緊急事態宣言と解除をいたずらに繰り返す「Stop & Go 政策」によって、感染者や重症者を第3～4波では第1波の約10～11倍に、第5波では約36倍にも大激増させる大失策を犯した上に、戦後最悪のマイナス成長・大不況を引き起こし、8・7兆円の経済的損失をもたらしました。国民に対してその損害賠償を行い、重大な責任を取るべきでしょう。そのうえ尾身会長は、前述のように巨額の補助金を不正に取得したことが報道されていますが、それが事実ならば業務上横領に該当しませんか？　検察当局は厳正に捜査するべきでしょう。

4　新型コロナに打ち勝つ政策とは何か？

新型コロナに打ち勝つ医療政策と危機管理政策の原則

エコノ教授：カムイやアナには的確で鋭い分析をしてもらい、どうもありがとう。緊急事態宣言が感染者や重症者や死亡者をトレンドとして大幅に激増させた原因を、整理してみましょう。

医療政策としては①入院患者の治療を集中的に行い、コロナウイルスそれ自体を除菌・消毒する幅広い公衆衛生対策が感染拡大の予防のために国民的規模で行われたこと、はかなり評価されてよいでしょう。②自然免疫（白血球、マクロファージ、NK細胞など）や獲得免疫（抗体やキラーT細胞）など免疫力を強める医療対策が未だ研究段階で、政策としてはほとんど無策であったこと、は非常に重大な失策でしょう。更に③コロナウイルスを不活化するカテキンなどの摂取を促す医療対策がほとんど無策であり、抗体を産生するワクチン対策が非常に出遅れたこと、はかなり深刻な問題です。

次に危機管理において見過ごしてはならない原因について整理しましょう。重大な危機が起こった場合には、Ⓐ遅滞なく速やかに対応すること、Ⓑ急激に引き締めるとショックが大きく経済活動に有害な影響を急激に及ぼすこと、Ⓒそのあと急激に解除するとリバウンドが大きくなって感染者や死亡者を更に急激に増やすこと、を十分に理解して、漸進主義的で段階的な対策を持続的に行うことが極めて肝要です。「Stop ＆ Go 政策」の急激なドタバタ劇をいたずらに反復しないこと、これが危機管理対策の原則です。

しかし実際に行われた対策は、これまで述べてきたように、これら原則からは大きく外れていました。

科学的な統計予測とはどうやるのか

厚労省の専門家会議には、「人との接触を8割減らさなければ42万人が死ぬ」などと大ボラやハッタリを吹いた委員がいましたが、統計的予測（statistical prediction）が科学的であるためには、過去の時系列データに基づいて死亡者数の理論的な因果関係式（ないし重相関関係式）の構造パラメーター α_i（i = 1,……, n）を統計的に推計し、それに基づいて条件付き予測（conditional prediction）をすることに限ります。

条件A、B、C、…が満たされた上で、かつ条件X、Y、Z、…が満たされない場合には、推計した構造パラメーターが安定である限り、死亡者数は２０２０年6月にはD1人、２０２０

年9月にはD2人と予測されるというように、予測する必要があります。あるいは変異株の発生などにより条件A、B、C、…がやや変化し、かつ条件X、Y、Z、…もやや変化するので、構造パラメーターがα′i（i＝1,……,n）と構造変化をすると予測されるため、死亡者数は2020年6月にはD1′人、2020年9月にはD2′人と予測されるというように、予測する必要があります。こうした条件付きの時系列予測（conditional time series prediction）でなければ、単なる非科学的な大ボラないしハッタリに過ぎません。Box-Jenkins 法などはこうした科学的条件を満たす予測法です。統計学やエコノメトリックスに基づかないで、ハッタリの予測をすることは非科学的であり、謙虚にするべきです。

漸進主義的で段階的な持続的行動規制策

漸進主義的で段階的かつ持続的な抑止策を早い段階で迅速に採用したならば、滑らかな感染曲線を目指すことができたでしょう。

アメリカ・ニューヨーク州は当初、感染者数も死亡者数も一時全米で最悪でしたが、2020年3月に非常事態宣言を発出し、漸進主義的で持続的な抑制策を堅持してきました。その結果、18歳以上のワクチン接種率は71％に上り、PCR検査陽性率は0・4％に下がり、死亡者数もかなり減少したので、1年3ヵ月後の2021年6月24日に宣言解除を行いました。

スウェーデンでは、仮に厳しい都市封鎖（ロックダウン）によって一時的に感染者数や死亡

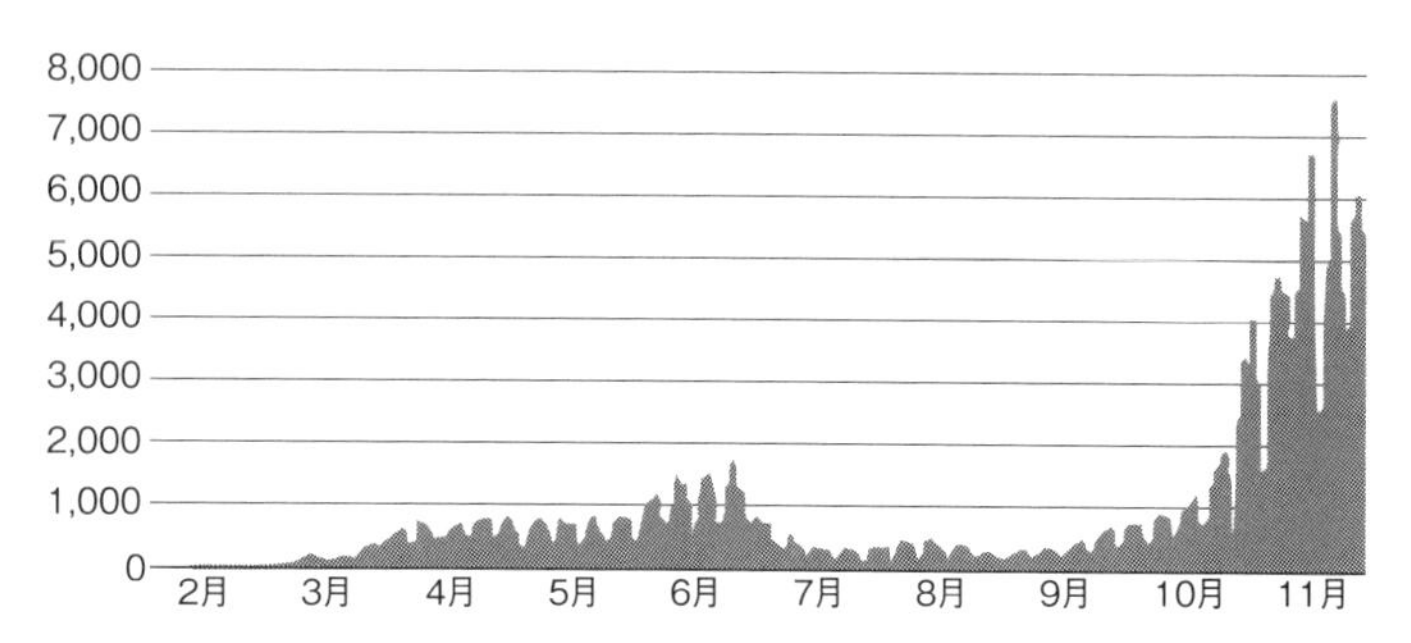

図１−５　スウェーデンのコロナ新規感染者数

出所：スウェーデン公衆衛生庁

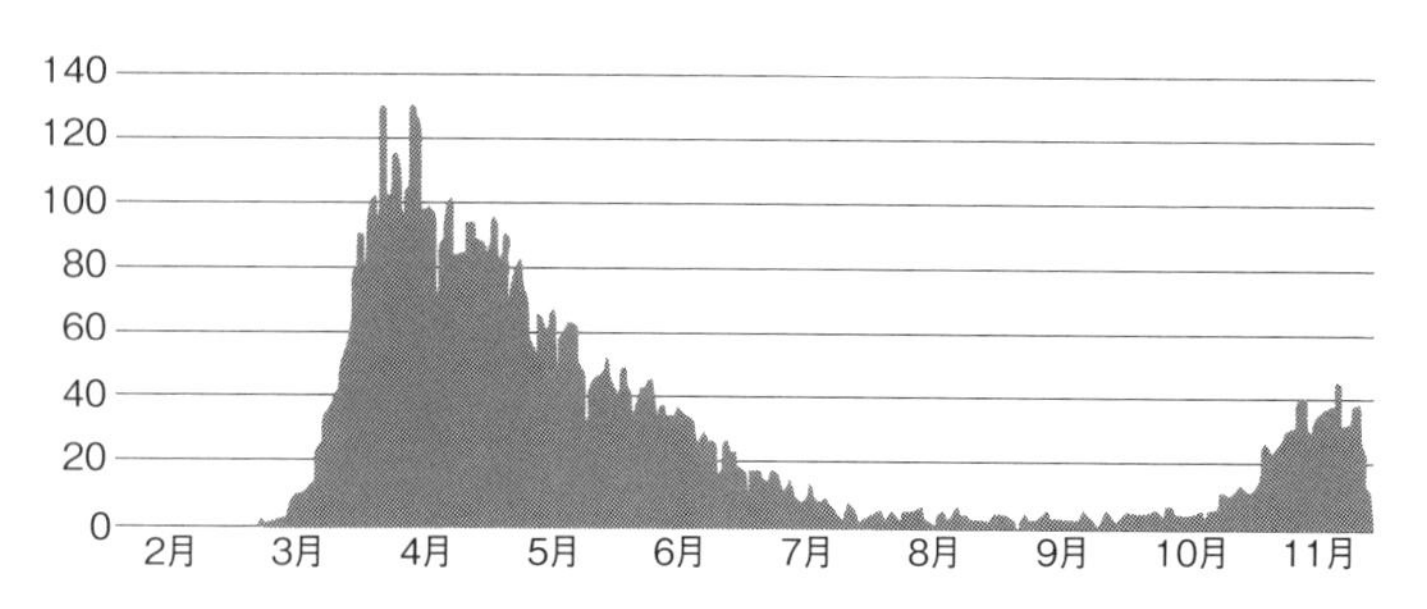

図１−６　スウェーデンのコロナ新規死亡者数

出所：スウェーデン公衆衛生庁

者数を抑制しても、急激な制限解除によるリバウンド効果で、結局は総死亡者数は同程度になるであろうという長期見通しを持っていました。それに基づいて、基礎疾患がある人や高齢者が入院した場合には集中的に治療を行い、病床数の空き率を3割ほど確保して、急激な医療崩壊を防ぐ漸進主義的な戦略をとりました。飲食業の営業自粛、学校の休校措置、公園の封鎖などは極力回避し、人々がなるべく正常な経済活動をできる緩やかな行動制限を堅持したのです。

その結果、2020年初めの第1波では感染者数は1日1800人ほどであったのが次第に減少し、死亡者数は1日110人ほどであったのが2人ほどに減少しました。こうして6月には、国全体で集団免疫を得ることに成功したと宣言しました。

ところが2020年11月からの第2波では感染者数が1日7000人にも急増し、死亡者数も1日40人ほどに増え、2021年1月には総計で1万人を超えました。スウェーデン・モデルは失敗かとも疑われました。

そこで飲食業は夜8時半までの営業自粛、酒類提供は夜8時まで、集会人数は8人までなどの緩やかな行動規制を導入しました。2021年8月16日現在では人口1030万人で、感染者数111万人、死亡者1万4658人となっており、致死率（＝死亡者／感染者）が1・3％、死亡率（＝死亡者／総人口）が0・14％（100万人当たり1423人）です。人口に占める死亡率は日本より10倍ほど高いですが、感染者に占める致死率が日本とほぼ同じであるのは、国際比較ではかなり低いと言えます。新規死亡者数は100万人当たり0・1人と非常に低くなってきたので、9月には制限を解除する見通しです。

コロナ禍を収束させる対策・政策を打ち出すべき

では、日本はどうするべきでしょうか。間違った判断を繰り返してきた「専門家会議」を刷新し、コロナ禍問題を根本的に解決できる体制を早急に作り上げるべきでしょう。そのために国を挙げて超党派の議員連盟ないし政策合意を作り、今までの緊急事態宣言のやり方を根本的に改めるべきであり、国民は次回選挙でそうした有効な政策を主張する議員候補だけを当選させるようにすることが、コロナ禍の収束に向けた突破口となることでしょう。

「Stop & Go 政策」による失敗は、コロナ対策が初めてではありません。

1985年のプラザ合意による円高ショックに対して、日本政府と日本銀行は急激な超金融緩和政策を行い、日本史上最大・最悪のバブルを招きました。株価や地価の資産バブルの過熱に対して、1989年、政府・日銀は急激な金融引き締め政策に転じたところ、翌年からバブルは崩壊し、急激なマイナス成長に転落、13年間に亘る平成長期デフレ不況を招きました。世界一の高度経済成長を誇った日本経済は、先進7ヶ国中最低の成長率に転落し、長期デフレ不況の低迷を余儀なくされました。まさに前記の危機管理対策の鉄則に違反したからです。

日本政府と日銀のこうした急激で場当たり的な「Go & Stop 政策」が、史上最悪のバブルと長期デフレ不況をもたらした事実を決して忘れてはなりません。不況を回復して安定成長を達成するためには、急激な緩和や引き締めの政策を廃止し、安定的な財政・金融政策、安定的通貨供給政策が必要です。

アメリカでは、ジョージ・W・ブッシュ大統領の時、２００１～２００６年にサブプライムローンによる金融バブルが起こり、２００８年にはリーマンショックを契機にバブルが崩壊し、世界的な金融不況を招きました。これに対しアメリカ政府は、速やかに資本注入を行うなど急激な金融引き締め策を回避して、金融不況をわずか3年で回復させました。

日本政府と日銀の歴史的大失敗を反面教師として、アメリカ政府は急激な「Go & Stop 政策」を回避して漸進主義的で段階的な政策を採用したので、弊害を少なく抑えることができたのです。この教訓も踏まえて、コロナ対策の改善を図ることも重要でしょう。

第2章　新型コロナ感染に打ち勝つ医療対策とは何か

1　コロナに打ち勝つ医療対策の分類

エコノ教授：カムイが分析してくれたように、緊急事態宣言やまん延防止措置等はあくまで感染拡大を防ぐ消極的な防御策に過ぎず、第1波に比べて感染者や重症者、死亡者をトレンドとして大幅に激増させる最悪の結果を招きました。その主要な原因としては、危機管理対策の失敗があります。

医学的知識だけではなく、危機管理政策や経済政策論など様々な領域の専門知識を総合的に結集して、最も効果的な対策・政策を総合的に立案する専門家会議（アドバイザリ・ボード）が必要であり、その真髄こそ慶應大学の加藤寛名誉教授が創案された「総合政策学」です。今回は、それがほとんど機能しなかったことが重大な失敗をもたらす致命傷となりました。

更に重要な原因として、コロナ感染症と積極的に闘い打ち勝つ医療対策が遅れたことが指摘できます。

①中等症や重症の入院患者に対して病院の医療関係者が懸命な治療を集中的に行った上に、感染拡大を予防するためコロナウイルスを除菌・消毒する広範な公衆衛生対策がかなり積極的に行われたこと、は高く評価できます。しかし、②コロナ感染に負けない強い抗体やキラーT細胞など免疫力を増強する医療対策が研究段階に留まってほとんど無策であったこと、は非常に重大であり、また、③カテキンやワクチンによる抗体生成などによりコロナウイルスを不活化すればかなりが無症状か軽症で終わったはずであるが、カテキンなどの摂取を促す医療対策やワクチン接種対策がかなり出遅れたこと、も非常に深刻な問題です。

前章では、それらの問題点を全般的に検討し、特に危機管理政策の要点を検討しましたので、本章では②と③の医療対策について、アナから詳しく分析してもらいましょう。

ファクターXとは？

アナ：世界の諸国と比べて日本では、新型コロナの感染率や重症化率、致死率が比較的に低く、感染しても84％もの多くの人々が無症状か軽症で済んでいます。その原因は未だ解明されていませんが、ノーベル賞を受賞した山中伸弥教授が「ファクターX」と呼んで、多くの医学研究者が研究を重ねています。

外国人と比べて日本人の食生活では、サケ、イワシ、サンマ、カレイ、ブリ、シラス干しなどの魚類や、干しシイタケやキクラゲなどのキノコ類を比較的に多く食べています。実はこれらはビタミンDを多く含む典型的な食材であり、ビタミンDを一定量以上摂取すると免疫力が高まるという多くの研究結果があります。

また、日本人は古くから緑茶、焙じ茶（番茶）、紅茶などお茶を飲む慣習が伝統的にあって、カテキンの摂取量が比較的に多いです。実はお茶に含まれるカテキンが、抗体と同じようにウイルスの突起状のスパイクに付着して、不活化する効果を持つことを検証した研究結果も多く発表されています。ファイザーのワクチンによる抗体がコロナウイルスを95％不活化するのに対して、紅茶のカテキンは99％不活化します。

ビタミンDが免疫力を強め、カテキンがウイルスを不活化するので、これらがファクターXの一つとして考えられています。

ビタミンDが免疫力を強める実験結果

ビタミンDがインフルエンザなどのウイルスに対する免疫力を高めることは、以前より知られていました。そして、ビタミンDの血中濃度が30ng／mℓ以上の人はコロナウイルスにほとんど感染せず、感染しても重症化しないことを臨床データの計測から疫学的に検証した論文が、満尾正医学博士により2020年に発表されました（アンチエイジング医学会誌、2020 vol.16 №3、満尾正著「ビタミンDとCOVID-19」）。実証的に確かめられたわけですね。

ビタミンDは〝太陽のビタミン〟と呼ばれるように、肌を日光に当てると自然生成します。

それだけで十分ではない人や肌が日光に弱い人は、食べ物やサプリメントで十分な量を摂取する対策が必要と言えます。

エコノ教授：日本では新型コロナの感染者のうち無症状か軽症の人は約84％、中等症か重症の入院を要する人が約16％、致死率（＝死亡者数／感染者数）は1・8％から1・2％に減っています（2021年8月現在）。満尾博士の測定結果が普遍性を持つのであれば、ビタミンDの血中濃度が30ng／mℓ以上となる人を90％、95％と高めて、最終的には100％に近づければ、感染者のうち無症状か軽症の人は約100％、中等症か重症の人が約0％、死亡者は約0％に近づく計算ですね。

この最終目標となる状態は実際にはかなり難しいでしょうが、コロナに打ち勝つ医療対策を強化するためには、自然免疫や獲得免疫を高め抗体の生成を増強するような医療対策を、個人でも都道府県でも国家でも早急かつ積極的に進めるべきでしょう。今まではこうした医療対策が研究段階に留まり、政策としてはほとんど無策でした。

段階的抑制策を長期的に持続するべき

感染してもほぼ全員が無症状か軽症であれば、特に入院治療は必要なく10日間の自宅療養で済むので、病床の逼迫も医療崩壊も起こりません。そうなると、感染の拡大自体を極端に恐れ、急激なロックダウン（都市封鎖）や緊急事態宣言によって必要以上に経済を萎縮させて打撃を与える経済抑制策は、解除後のリバウンド効果によって感染者や重症者や死亡者を大幅に増やすので、むしろ有害と言えるでしょう。

まずは、マイルドな1～2割の自粛を求める段階的な抑制策を長期的に持続し、必要ならもう1割段階的に増やす一方で、感染してもほぼ全員が無症状か軽症となる積極的な医療対策を最優先課題として目指す基本戦略が、危機管理政策上は最も重要となるでしょう。

2　ウイルスの感染・発症と免疫の仕組み

ウイルスの感染と自然免疫の仕組み

では、どういうメカニズムでウイルスが人に感染・発症し、それに対してどのように免疫が働くのか、アナに説明してもらいましょう。

アナ：まず免疫の仕組みですが、自然免疫は生まれつき持っている免疫力です。ウイルスや細菌などの病原体ないし異物が人の表皮や粘膜に付着すると、好酸球や好中球などの白血球が攻撃したり、マクロファージ（貪食細胞）が捕食して排除しようとします。咳や鼻水もこれらを排除しようとする防御反応です。そうした防御や攻撃をすり抜けたコロナウイルスは、突起状のスパイクを人の細胞のＡＣＥ２（アンジオテンシン変換酵素２）受容体に接着させます。この段階では未だ感染ではありません。スパイクがＡＣＥ２受容体と接着した部分を溶かして、スパイク内やウイルス本体内の遺伝物質（ＲＮＡ）を細胞に侵入させると、感染したことになります。

感染した細胞内でウイルスのＲＮＡは、人のタンパク質を使って自己を複製し増殖します。細胞内で複製されたウイルスが増殖すると、もはや抗体では対抗できないので、生まれつき備わったナチュラルキラー細胞＝ＮＫ細胞が感染細胞を攻撃し、まさに殺します。すると白血球やマクロファージが死んだウイルスの残骸を捕食して分解し排泄します。これが自然免疫であり、その免疫力が強ければ特に症状は起こらず、無症状となります。

ウイルスが死んでも残骸のＲＮＡが残っていれば、ＰＣＲ検査では陽性の反応が出ます。

ウイルスの増殖と獲得免疫の仕組み

しかし自然免疫力よりもウイルスの攻撃力が強ければ、生き残ったウイルスが更に増殖を続けます。すると樹状細胞がウイルスの特徴を調べてヘルパーＴ細胞へ提示して伝え、それにより活性化されたＢ細胞は、それに特異的な抗体を産生します。すると抗体はウイルスのスパイクに付着して、これ以上細胞内へ侵入できないように防御します。

またヘルパーＴ細胞は、キラーＴ細胞へもウイルスの抗原情報を伝えるので、キラーＴ細胞は感染した細胞それ自体に向かってＮＫ細胞と共に攻撃して殺します。すると白血球やマクロファージが死んだウイルスの残骸を捕食して分解し、排泄します。これが獲得免疫であり、その免疫力が強ければ特に症状は起こらず、無症状となります。

侵入した特定のウイルス情報は免疫記憶細胞に記憶されて、長期的に維持されます。次に同じウイルスが侵入して再感染する場合には、B細胞に指示して抗体を産生し、キラーT細胞に免疫記憶情報を伝えて攻撃させます。この仕組みを利用したのがワクチンであり、弱毒化ないし無毒化した病原を接種して人工的に感染をさせ、その結果抗体を産生誘導し、キラーT細胞の免疫力を強化します。

ウイルス感染による症状の発生と軽症、中等症、重症

ところが自然免疫や獲得免疫の力よりもウイルスの攻撃力が勝る場合には、ウイルスは細胞内で更に増殖を続けて、初期には発熱、咳、喉の痛み、味覚障害、嗅覚障害など、その後は呼吸困難などの症状が出てきます。

新型コロナウイルス感染症では表2−1のように重症度が分類されており、軽症では自然治癒を待つ、中等症Ⅰでは入院のうえ適切に治療を、中等症Ⅱでは高度な医療を行える施設へ転院を検討し必要な治療を、重症では高度な治療が必要となっています。

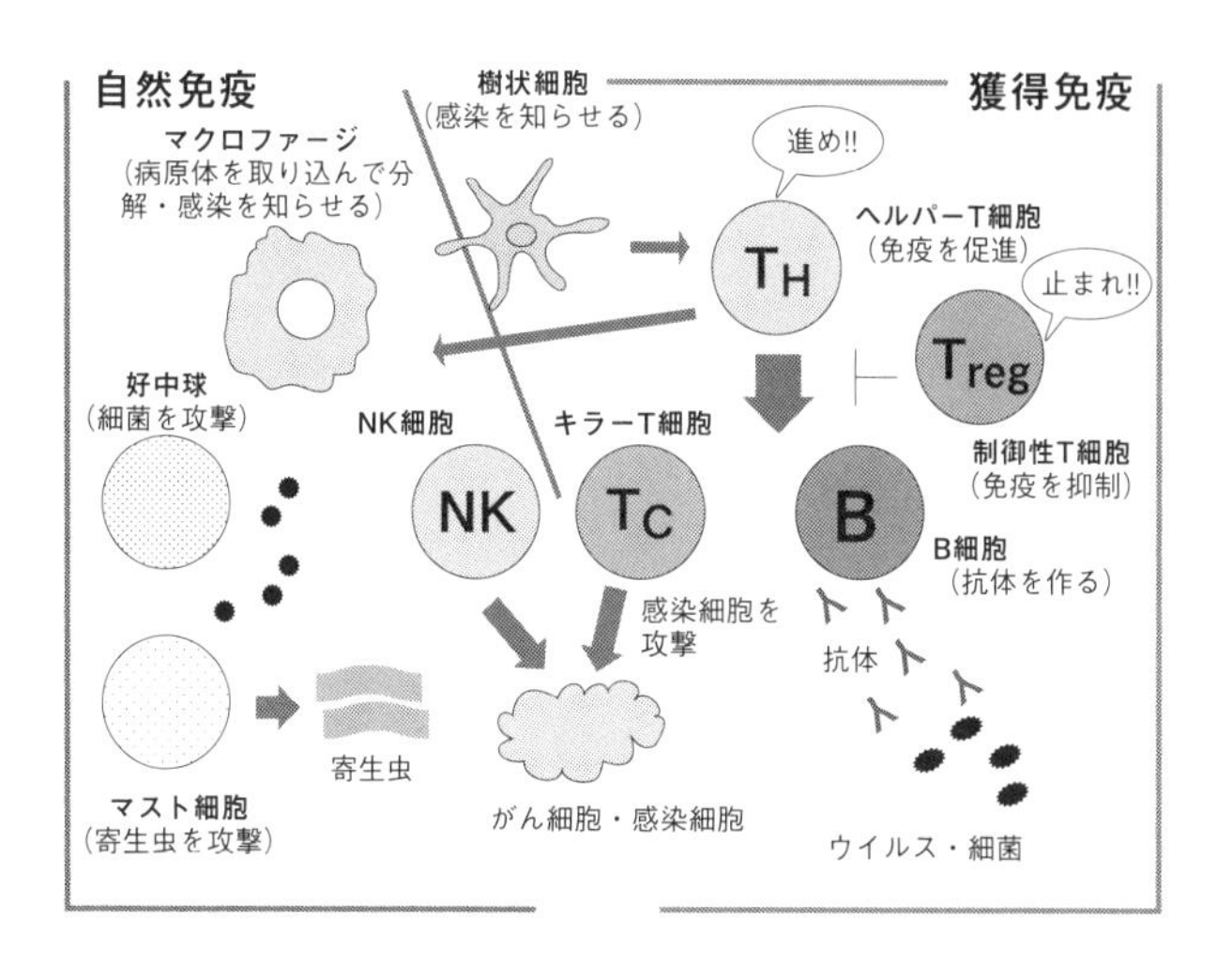

図2-1　自然免疫と獲得免疫

出典：公益財団法人長寿科学振興財団

表2-1　重症度分類

重症度	酸素飽和度	臨床状態	診療のポイント
軽症	$SpO_2 \geqq 96\%$	呼吸器症状なし or 咳のみで呼吸困難なし いずれの場合であっても肺炎所見を認めない	・多くが自然軽快するが、急速に病状が進行することもある ・リスク因子のある患者は入院の対象となる
中等症Ⅰ 呼吸不全なし	$93\% \leqq SpO_2 \leqq 96\%$	呼吸困難、肺炎所見	・入院の上で慎重に観察 ・低酸素血症があっても呼吸困難を訴えないことがある ・患者の不安に対処することも重要
中等症Ⅱ 呼吸不全あり	$SpO_2 \leqq 93\%$	酸素投与必要	・呼吸不全の原因を推定 ・高度な医療を行える施設へ転院を検討
重症		ICUに入室 or 人工呼吸器が必要	・人工呼吸器管理に基づく重症肺炎の２分類（L型、H型） ・L型：肺はやわらかく、換気量が増加 ・H型：肺水腫で、ECMOの導入を検討 ・L型からH型への移行は判定が困難

出典：厚生労働省『新型コロナウイルス診療の手引き 5.2版』

3　免疫力をビタミンDがどのように高めるか？

ビタミンDによる免疫調節機能

エコノ教授：どういうメカニズムでウイルスが人に感染・発症し、それに対してどのように免疫が働くのか、よくわかりました。次に、免疫力をどのようにビタミンDが高めるのかも説明してもらいましょう。

アナ：実はビタミンDの中でも活性型の1,25－ジヒドロキシ・ビタミンDが免疫調節や増殖抑制の機能を持つことが初めて知られたのは、1980年代です。2008年にアダムス＝ヒューイソン両氏は、ビタミンDが自然免疫と獲得免疫の調節に大きな役割を果たすことを医学的に解明する論文を発表しました。最近の研究では、①ビタミンDの不足が世界的規模で臨床問題となっていること、②疾患の感染度や死亡率にビタミンDが深く関連していること、③ビタミンDを合成する機構が人体の広範囲にあること、などが指摘されてきました。そこでビタミンDの代謝と反応は、骨やカルシウムの維持・増強にとどまらず、より広範な免疫調節の機能を担うことが判明してきたのです。

同じく2008年のアドリニ＝ペンナ両氏の論文によれば、活性型ビタミンD^3の1,25－ジヒドロキシ・ビタミンD^3［1,25(OH)2D3］は、骨やミネラルの恒常性維持にとって重要なセコ・ステロイド・ホルモンであり、多くの細胞の増殖と分化を調節すると共に、免疫調節や抗炎症の機能を果たすことが明らかにされました。自然免疫に関与する細胞（マクロファージ、樹状細胞、T細胞およびB細胞）は、ビタミンD受容体（VDR）を発現し、1,25(OH)2D3への応答も産生も可能です。よって免疫応答に対するビタミンD系の本来の作用は、獲得免疫を多面的に調節するとともに、自然免疫を増強することです。

太陽光線とりわけ紫外線は強い消毒・殺菌力を持ち、コロンビア大学の実験でも検証されたように、コロナウイルスを消毒する能力に優れています。太陽のビタミンと呼ばれるビタミンDは、太陽光線に当たることにより人の表皮で産生され、ウイルスと戦う人の免疫力を高めると推定されます。これは一つの理論仮説であり、実験による精密な検証が必要ですが、ビタミンDの血中濃度が30ng／mℓ以上であればコロナ感染でも無症状か軽症で済むことは、満尾正博士の臨床試験で既に検証されています。

4　重症化やサイトカインストームを抑えるには

ビタミンDはサイトカインストームを抑止する

奥平智之博士の説明（図2-2）にもあるように、サイトカインは重症化を抑制する免疫力を増強する働きを持つと同時に、免疫力が過剰に働いて自己細胞を攻撃することがないように

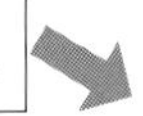
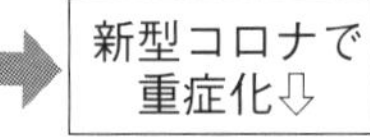

図2−2　ビタミンDが免疫強化して重症化を防ぐ仕組み

出典：日本栄養精神医学研究会 奥平智之

調節する働きを持ち、両者のバランスを保ちます。

免疫細胞は病原体などの異物を体内で認識すると、IL−1やIL−6、TNF−αなどの炎症性サイトカインを誘導して生体の炎症（異物排除）を促し、免疫反応を活性化させます。他方で、IL−10や、TGF−βなどの抗炎症性サイトカインは、こうした免疫反応が過剰にならないよう炎症を抑制する調節作用があり、免疫機能のバランスを取っています。

しかし、ウイルスの侵入や薬剤投与などに過剰反応をして、炎症性サイトカインの分泌が過剰になり、抗炎症性サイトカインの分泌が過少になると、炎症性サイトカインと抗炎症性サイトカインのバランスが崩れ、次々と炎症反応が過剰に起こります。正常な自己細胞までも攻撃するようになると、重症化し死亡に至ることも多々あります。これをサイトカインストーム（嵐）と言います。

コロナウイルス感染症で死亡する場合、最終的に肺炎の重症化からサイトカインストームを起こして、血管内凝固症候群、心筋梗塞、脳梗塞、低酸素血症、心肺停止などをもたらすケースが多いです。特に基礎疾患を持つ人や高齢者に起こりやすいので、サイトカインストームを引き起こさないためには、免疫が正常に機能していることが重要です。

満尾正博士によれば、これまで世界での研究で明らかにされたように、ビタミンDは①ウイルスの複製率を低下させる物質の誘導、②炎症性サイトカインの濃度の低下、③抗炎症性サイトカインの濃度の増加、という機能を持っています。そのため重症化からサイトカインストームを起こさず、死亡に至らないためには、ビタミンDの血中濃度を高めることが極めて重要であると言えます。満尾博士が臨床データから検証したように、ビタミンDの血中濃度を高めて免疫力を強めるためには、それを豊富に含む干しシイタケやキクラゲ、鰯や鮭などの食物を食べたり、ビタミンDのサプリメントを飲んだり、日光浴をしたりすることが望ましいでしょう。

レギュラトリーT細胞

また順天堂大学医学部の小林弘幸教授によれば、腸内に多くあるレギュラトリーT細胞も、マクロファージから産生されるサイトカインのバランス調整を司っています。基礎疾患や生活習慣の乱れによる〝不健康〟がレギュラトリーT細胞減少の原因となっているので、これらをできるだけ改善してなくすことによって腸内環境を整え、レギュラトリーT細胞を充分に維持すれば、サイトカインストームを抑制して、重症化から回復する可能性が高まります。

5　コロナウイルスを不活化するカテキン

カテキンがスパイクに付いてウイルスを不活化する効果

エコノ教授：新型コロナウイルスそれ自体を攻撃して不活化するカテキンの役割が最近注目を浴びています。中国、韓国、日本など東アジア諸国での感染率、重症化率、死亡率が低い原因として、カテキンを含むお茶を飲む慣習が挙げられていますね。

アナ：では、コロナウイルスに対するカテキンの医学的な役割や医療対策について説明します。

２０２０年11月に奈良県立医大の矢野寿一教授は、試験管内のカテキン入りのお茶（茶葉から入れた紅茶）にコロナウイルスを浸けると、1分でほぼ99％が不活化して感染力を失う事実を実験で検証しました。実験したのは、市販のペットボトルの緑茶2種類、茶葉から入れた紅茶と大和茶（番茶）の計4種類です。それにウイルス入りの液体を混ぜて、ウイルスの量を測定した結果、茶葉から入れた紅茶では1分後にはほぼ99％が減ったが、その他の3種類ではウイルス減少は90％以下となりました。

ウイルスは細胞膜がないので非生物とされ、突起状のスパイクにより生物の細胞膜の中に侵入して増殖し、それを攻撃します。よってウイルスに対しては、細胞膜を阻害する抗生物質などは効力がありません。ウイルスは表面のスパイク状の突起により生物に付着しますが、カテキンは抗体と同じようにそのスパイクに付着するため、ウイルスのスパイクは生物に付着できなくなって不活化し、養分が摂れないのでいずれは死んでしまいます。ウイルスを不活化し、毒性を発揮できなくすることを「中和」といいます。

カテキンはポリフェノールの一種であり、タンニンと呼ばれるお茶の渋味の主成分ですが、紅茶、番茶、緑茶などに多く含まれ、抗ウイルス作用、抗酸化作用、抗ガン作用、抗菌・殺菌作用、コレステロール低下作用などが知られています。

カテキンのウイルス不活化効果とお茶の飲み方

「食料新聞」によれば2021年4月、京都府宇治市で開かれた「緑茶と健康シンポジウム」において、京都府立医科大学の松田修教授が伊藤園中央研究所との共同研究により、緑茶やほうじ茶などに含まれるカテキンや紅茶・ウーロン茶のカテキン重合物が、人の唾液に含まれる新型コロナウイルスを不活化する効果があることを確認したと発表しました。効果の発見はすでに2020年5月に行われ、同年12月には研究論文はプレプリントに、その後査読誌に公開されました。

松田教授らの研究によると、試験管に健康な人の唾液とコロナウイルスを入れ、更にお茶を加えたところ、10秒ほどで不活化効果が確認され、ウイルスが100分の1以下から検出不可能な数にまで減少したといいます。ウイルスが生物の細胞に侵入する際に結合するスパイクタンパクにカテキンが先に結び付くことで侵入を防ぎ、感染力をなくすわけです。カテキンは血液中にはほとんど吸収されないので全身への効果は期待できないのですが、カテキンを高頻度に摂取すれば、口腔内、咽頭、食道など消化管に存在するウイルスの感染能力を抑える効果は期待できるといえます。そこで松田教授は、「お茶を10秒ほど口に含んでから飲むことで、飛沫感染が少なくなって集団感染を減らす可能性がある」と指摘しました。

また研究では、変異株での効果も検証するため軽症のコロナ患者を対象に臨床実験を行っており、年内に更なる実験結果の公表を目指すそうです。松田教授は日本の感染率や死亡率が国際比較で少ないファクターXの一因として、カテキンを含むお茶を飲む慣習を挙げることができると指摘しています。

エコノ教授：ビタミンDの役割に関する満尾正博士や奥平智之博士の研究、カテキンの役割に関する矢野寿一教授や松田修教授の研究は、ワクチン接種と並行して、いやそれ以前に人々の免疫力を高めて無症状か軽症で済ませ、新型コロナに打ち勝つために非常に有用な研究ですね。政府は積極的かつ大規模に財政支援を行って、できるだけ早期に政策として実用化・実施することが望ましいでしょう。

※本章の記述に対して、満尾正医学博士、矢野寿一教授、松田修教授から貴重なコメントを頂きました。厚く御礼申し上げます。

第3章　新型コロナに打ち勝つワクチンとは何か

1　新型コロナ治療薬の開発状況

症状に対する薬剤とは

エコノ教授：新型コロナ感染症（COVID−19）の治療薬としては、厚生労働省が作成した「新型コロナウイルス感染症診療の手引き（第5版）」に基づくと、まず2020年5月にレムデシビルが重症患者を対象に特例承認されました。これはエボラ出血熱の抗ウイルス薬であり、コロナウイルスのような1本鎖RNAウイルスに対して有効と考えられました。他にもステロイド系のデキサメタゾンやJAK阻害薬のバリシチニブ、中和抗体のカシリビマブ／イムデビマブなどが国内承認されています。

表３－１　新型コロナ治療薬の開発状況（2021 年 8 月 20 日現在）

COVID-19 治療薬として国内で使用されている主な薬剤

網掛けは新型コロナウイルス感染症の適応を持つ薬剤

一般名	販売名（先発品）	製造販売元	薬効	既承認・開発中の対象疾患
レムデシビル	ベクルリー	ギリアド	抗ウイルス薬	エボラ出血熱
デキサメタゾン	デカドロン	日医工など	ステロイド	重症感染症など
バリシチニブ	オルミエント	米イーライリリー	JAK 阻害薬	関節リウマチ
カシリビマブ／イムデビマブ	ロナプリーブ	中外製薬	中和抗体	―
トシリズマブ	アクテムラ	中外製薬／スイス・ロシュ	抗 IL-6R 抗体	関節リウマチなど
ファビピラビル	アビガン	富士フィルム富山化学	抗ウイルス薬	新型・再興インフルエンザ感染症

出典：AnswersNews

段階	開発企業・機関
承認	（米）ファイザー（R）・（独）ビオンテック（R）／（米）モデルナ（R） （英）アストラゼネカ（ウ）・（英）オックスフォード大（ウ） （露）ガマレヤ研究所（ウ）／（印）バーラト・バイオテック（不） （中）シノファーム（不）／（中）シノバック（不）／（中）カンシノ（ウ） （米）J & J（ウ） ※承認には緊急使用許可などを含む
申請	
P3	（独）キュアバック（R）／（米）ノババックス（組） （印）ザイダス（D） （仏）サノフィ（組）・（英）GSK（組）
P2/3	（米）イノビオ（D）／（日）アンジェス（D） （中）クローバーバイオ（組）・（英）GSK（組） （加）メディカゴ（他）
P2	
P1/2	（日）塩野義製薬（組） （仏）サノフィ（R）・（米）トランスレートバイオ（R） （日）第一三共（R）／（日）KM バイオロジクス（不）
P1	（英）インペリアル・カレッジ・ロンドン（R）
前臨床	（日）ID ファーマ（ウ）

ウイルスベクター＝（ウ）
RNA＝（R）　DNA＝（D）
組換えタンパク＝（組）
不活化＝（不）
その他＝（他）

図３－１　コロナワクチンの開発状況（2021 年 8 月 20 日現在）

出典：AnswersNews

2　新型コロナワクチンの開発状況

ワクチンの治験、申請、承認プロセス

しかし治療薬の主役は、２０２０年12月にファイザーやモデルナの遺伝子ワクチンがアメリカで承認されてから、予防薬であるワクチンへ移ってきました。次にアナにその開発状況について説明してもらいましょう。

アナ：ＷＨＯの調査では、３段階の臨床試験を経て申請後に承認された新型コロナ用のワクチンは、現在世界で11種類あり、臨床試験に入っているものは１１２種類あります。日本製で承認されたものは未だ一つもなく、世界的にも出遅れています。臨床試験段階の塩野義製薬では、政府から３７０億円の補助金を得て国産ワクチンの開発に取り組んでいますが、２０２２年にならないと完成せず、現在は６０００万人分の供給を目指して開発中です。

生ワクチンと不活化ワクチン

ワクチンには製法によりいくつかの種類がありますが、最も一般的なものは①生ワクチンであり、症状が出ない程度まで毒性（病原性）を弱めるので、弱毒化ワクチンとも呼ばれます。自然感染と同様な作用方式で抗体やキラーＴ細胞などの免疫を作る点で優れていますが、免疫

力は自然感染より弱くなります。そのため接種は1回で済む場合もありますが、ほとんどは2～3回必要になります。副反応は一般に自然感染の場合より軽い症状となります。コロナワクチンでは副反応の危険性が大きいため、この製法は採用されていません。

②不活化ワクチンはウイルスや細菌の毒性を完全に除去し、免疫を作るのに必要な成分だけで作ります。よってその症状は出ませんが、その分免疫力が弱いので数回の接種が必要になります。新型コロナウイルスのワクチンでは、中国のシノファームやインドのバーラト・バイオテックがその例です。

新型のメッセンジャー遺伝子ワクチン

新しい製法技術である③メッセンジャー（伝令）遺伝子（mRNA）は、ウイルスの一部（突起部分のスパイクタンパク）の遺伝子情報を、設計図である伝令遺伝子mRNAにコピーして筋肉注射します。すると、体内で人のタンパク質を使って設計図を基にウイルスのスパイクタンパクが生成され、それに対抗して体内で自然免疫や獲得免疫などの免疫反応が起こります。抗体によりウイルスをブロックする「液性免疫」と、キラーT細胞により感染細胞を攻撃する「細胞性免疫」などが獲得免疫として産生されます。

ウイルスのRNA遺伝子は、人の細胞内に侵入できても核の中には侵入できないので、核内のDNAには影響を与えず、DNA変異などを起こすことはなく安全であると製薬会社の説明書や厚生労働省は説明しています。それにｍＲＮＡは人の細胞内で数日間で消えるため、長期永続的に大きな影響も与えないと言います。

ウイルスベクターワクチン

これとやや似ているのが④ウイルスベクターワクチンです。これは、人体に無害な改変ウイルスをベクター（運び屋）として使い、新型コロナウイルスの一部（突起状のスパイク）のＲＮＡ遺伝子をヒトの細胞へ注入します。すると細胞内でコロナウイルスのスパイクが複製され、それに対抗して抗体などの免疫が作られます。やはり自然感染と比べてウイルスの毒性が弱いので、生成される抗体も弱く、症状も弱くなるので、数回の接種が必要となります。

またベクターには普通の風邪のアデノウイルスが使われるため、ベクター自体が免疫により遮断されることもあり、作られる免疫力が劣る可能性があります。この製品化に成功したのは英国のアストラゼネカやオックスフォード大学ですが、接種後に若い人で血小板減少に伴う血栓症が複数報告されているため、接種は高齢者に限定する動きが広まっています。

ワクチン接種のリスク

確かに通常は、ＤＮＡが遺伝子情報を伝令としてのｍＲＮＡに伝えてタンパク質形成をするという順序ですが、ウイルスのｍＲＮＡは、人の細胞内に侵入して感染すると逆転写によって人のDNA変異を引き起こし、2~5年後には死亡など阿鼻叫喚の重篤な影響を及ぼすのではないか、という懸念をする医師もいます（高橋徳医師・中村篤史医師他著『コロナワクチンの恐ろしさ』成甲書房）。

ｍＲＮＡワクチンを液体として経口接種すれば細胞を傷つけることはありませんが、筋肉注射をすると必ず細胞を物理的に傷つけます。ワクチン接種の注射針は外径26Ｇ（０・45㎜）であり、細胞の大きさは6~25㎛、平均20㎛（０・02㎜）とすると、０・45／０・02＝22・５個の細胞が傷つきます。筋肉注射をする深さは通常13~20㎜で20㎜とすると、20／０・02＝１０００個の細胞が傷つきます。合計では22・５×１０００個＝２万２５００個の細胞が傷つくことになります。細胞内の核も傷つくので、そこからｍＲＮＡが核内に入り、ＤＮＡに影響を及ぼすことはあり得ます。ｍＲＮＡの筋肉注射によってモデルナ・アームと呼ばれるように腕の筋肉が固くなって持ち上がらない場合など、痛みや腫れや硬直が起こるケースが約90％と多いですが、これは自然感染では全く無い症状であり、筋肉注射で物理的に傷を付ける現象に起因すると見られます。筋肉注射の症状を軽視するべきではないでしょう。

武田俊一教授（京都大学大学院医学研究科）と廣田耕志教授（東京都立大学理工学研究科）及びセラ教授（ケンブリッジ大学）は、ＤＮＡの変異が発生する分子機構を世界で初めて明らかにしました。ＤＮＡは放射線や紫外線、化学物質などにより1細胞当たり1日約10万個の傷を受けており、細胞分裂の際に複製ポリメラーゼやそれを補強するＴＬＳポリメラーゼによるコピーでは常に傷を補修するとは限らず、コピーエラーが発生することもあります。その結果DNAに変異が生じる機構が明らかとなりました。生殖細胞のDNA変異は遺伝しますが、それ以外のDNA変異は個体に限定されます。よって異物であるウイルスのRNAの核内侵入によっても、ヒトのDNA変異は絶対に起こらないとは言い切れません。

ただしRNAが1本鎖であるのに対して、DNAは2本鎖の螺旋状をしているので、仮にRNAの逆転写によって一部のDNAが傷ついても、正常DNAに基づいて修復が起こり、通常はDNAの安定性が維持される限りDNA変異は起こらず、安全である確率は高いと言えるでしょう。

また通常のワクチン完成には臨床試験だけでも2~3年掛かるのに対して、mRNAワクチンはトランプ前米大統領による「ワープスピード作戦」の指示と財政補助を受けて、2020年6月頃からわずか半年で急ピッチで作製されたため、臨床試験の検証期間が短かすぎると言えます。よってmRNAワクチンの筋肉注射による接種が安全であるという理論仮説が確証を得るためには、もう少し長い(2~3年の)慎重な検証期間が必要でしょう。

新型ワクチンはなぜ短期間で完成できたか

ワクチン開発には長い時間と巨額の研究開発費用が掛かります。基礎研究では十数年もかかり、遺伝子を使うmRNAワクチンなどは、十数年前から基礎研究が行われてきました。次に

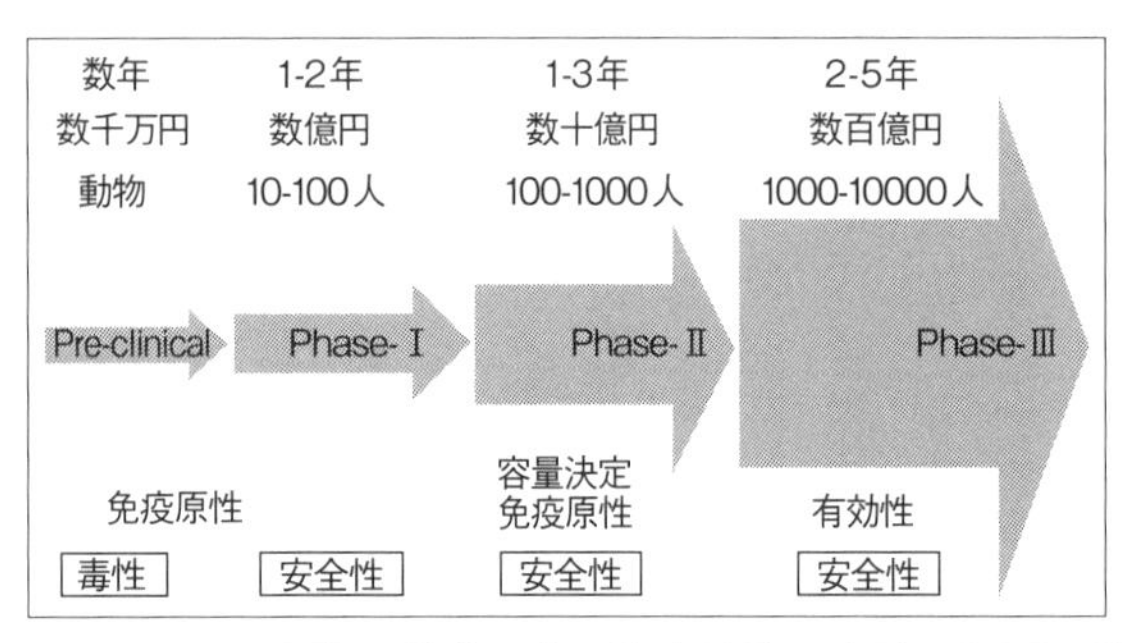

図３－２　ワクチン開発の基礎研究、臨床試験、申請、認可の諸段階

出典：ITmedia ビジネス

動物実験を行い、次に人の患者を対象とした3段階の臨床試験があります。通常は第1段階は1～2年、第2段階は1～3年、第3段階は2～5年を要し、臨床試験の合計では2～3年ないし5年掛かると言われています。

それが、新型コロナウイルスに対するワクチンは、なぜ感染症の発生から約1年、臨床試験ではわずか半年という短期間でできたのでしょうか？

トランプ前米大統領は、新型コロナ感染症が拡大するに伴い、ワクチン開発・供給の迅速化を図るため「ワープスピード作戦」を展開し、契約企業と協力して、２０２１年1月までに安全かつ効果的なワクチンを開発し、3億回分の供給を目標としました。ファイザーはこの作戦の協力企業であり、少なくとも1億回分のワクチンを前払金約20億ドル（約２２００億円）で政府に供給することに同意しました。使いモノになるかどうかも不明の段階で前払金を受け取ることは、実質的な補助金に等しいと言えます。

ファイザーが投下したワクチン開発費用は15億ドルとい

うので、それを上回る前払いの金額であり、先行して実質的に研究開発に回すことも可能でしょう。しかしファイザーは、同作戦の一環であるアメリカ生物医学先端研究開発局（ＢＡＲＤＡ）から、研究開発のための資金提供は受けていないと言います。ファイザーのアルバート・ブーラ最高経営責任者（ＣＥＯ）は、「ＢＡＲＤＡから資金提供を受けないことにしたのは、当社の研究員たちが一切、政治に縛られないようにしたかったからだ」と語りましたが、20億ドル（約２２００億円）の前払金を受け取った以上は、無理がある発言と言えるでしょう。

自然感染とワクチン接種ではどちらが強い抗体を作るか

ｍＲＮＡはウイルス本体の病毒を全て削除し、スパイク部分だけの病毒を使うので、自然感染と比べて病毒性が弱くなります。産生される抗体も弱く、症状も弱くなるので、数回の接種が必要となります。ただし、測定された量的な抗体価を自然感染とワクチン接種による人工感染とで比較すると、ワクチン接種による抗体価の方が多いという臨床データも報告されています。また自然感染の場合、無症状のままの回復者と重症からの回復者とで抗体価を比べると、重症からの回復者の方が抗体価は多いという臨床報告もあります。

なぜそうなるかというと、自然感染で強い病原性から無症状で回復する人の場合には、抗原以上に抗体の質が非常に強いので、スパイクに抗体が早く強く付着する成功確率が非常に大きく、よって抗体価の量は多く産生する必要はないという理論仮説が成り立つでしょう。ワクチン接種で例えばメッセンジャー遺伝子法の場合は、スパイク部分の病毒しかなくウイルス本体の病毒は削除されているので、そもそも病原性が非常に弱く、それに対抗してできる抗体の質も弱くなります。そうなるとスパイクに早く強く付着することが難しいので、付着する成功確率を上げて防御するためには、量的な抗体価を多くする必要があると見られます。これは整合的な解釈をするための理論仮説ですので、実験による検証が必要となります。

自然感染が強い抗体を作る実験結果

実はこの理論仮説を検証・支持する実験結果があります。2021年6月に、理化学研究所（理研）生命医科学研究センター・サイトカイン制御研究チームの久保允人リーダー（東京理科大学生命医科学研究所教授）らの共同研究グループは、マウス実験において、インフルエンザウイルスに対する免疫反応がウイルス感染とワクチン接種では異なることを発見し、ウイルス経鼻感染の方がワクチン接種よりも質の高い中和抗体である「広域中和抗体」が産生されることを立証しました。単に量的な抗体価だけを見るのではなく、抗体の質的な強度を分析することが非常に重要であると言えます。

また富山大学の仁井見英樹准教授などは、新型コロナウイルスの自然感染からの回復患者の血清中の中和活性を測定、高力価（結合度の高い）の中和抗体を持つ患者を選定し、遺伝子組換え抗体を作りました。この抗体の中から中和活性の特に高い（＝感染を防御する能力に優れた）抗体を特定し、最終的に多種の変異株の感染を防御するスーパー中和抗体28Kを取得することに成功し、２０２１年６月に特許を出願しました。抗体の質的能力・強度は人により異なり、また同じ人の中でも個々の抗体毎に異なるので、抗体の質的能力を強めることが極めて重要であり、単純に量的な抗体価だけを見ることは不適切と言えます。

２０２１年９月ブラウン大学の研究結果では、ファイザー製ワクチンを２回接種済みの介護施設居住者や医療従事者など計２１２人を対象に血液中の抗体量＝抗体価を測定した結果、全対象者の抗体量が接種完了から２週間後に比べて半年後には84％以上減少していたと公表しました。つまり、たった半年で抗体量が約16％まで激減していたことを意味します。ところがファイザー社は、２０２１年４月に「２回目のワクチン接種後、６ヵ月間は高い有効性が確認された」と発表しました。

この一見矛盾した結果に対して、日刊ゲンダイによれば、左門新医学博士は「血液中の抗体の量である『抗体価』と抗体が持つ『感染防御能力』は同一でなく、両者は比例しないからです。その証拠に、別の研究ではファイザー製のワクチン接種を完了した人の感染防御能力が２ヵ月後に96％、４ヵ月後に90％、６ヵ月後に84％だったことが分かっている。半年たっても80％以上の感染防御能力、つまりワクチンの有効性は保たれているのです。念のために言うと、今回のブラウン大の研究は感染防御能力に言及したものではありません」と説明しています。

よって抗体価と抗体の質的能力を混同混乱するべきではなく、より大切なことは抗体の質的能力を高めることです。

各社のワクチンの有効性と変異株への有効性

米ファイザー、米モデルナ、独ビオンテックなどのワクチンが2020年12月に米国などで承認され、新型コロナウイルスで初めて実用化されたため、接種が始まっています。日本ではファイザーとビオンテックのmRNAワクチンが2021年2月に特例承認され、2021年5月にはアストラゼネカのベクターワクチンが特例承認されて、医療従事者、高齢者などの順番で接種が始まりました。

臨床データではもともとの武漢型に対しても変異株に対しても、ファイザーやモデルナのmRNAワクチンの方が、アストラゼネカやジョンソン&ジョンソンのベクターワクチンよりも、表3-3のように有効性が高いという臨床データが出ています。またデルタ株に対してはファイザーのがモデルナより有効という臨床データもあり、発症予防効果がファイザー42%に対しモデルナ76%（TBSニュース）と、モデルナの方が有効という臨床データもあります。

エコノ教授：そもそも臨床試験は別のワクチンを接種した別の部分的な標本グループ毎に行われるため、それらのサンプル数が多くても、真の母集団の性質を表すことにはならず、別々の母集団（免疫力が強い集団と弱い集団、ある地域と別の地域）の性質を表す可能性があります。統計分析が科学的に行われるためには、別々の標本グループが同じ母集団から無作為抽出され

表3－2　主なワクチンと有効性

特徴		全世界 生産供給見通し	日本国内状況
ファイザー	mRNA ワクチン 有効性 95% 摂取回数 2回（21日） 保存温度 −70℃	2021年末までに 最大20億回分	国内で承認 (2021/2/14) 1.94億回分 契約締結
モデルナ	mRNA ワクチン 有効性 94.1% 摂取回数 2回（28日） 保存温度 −20℃	5～10億回分／年 予定	国内で承認 (2021/2/14) 5000万回分 契約締結
アストラゼネカ	ウイルスベクターワクチン 有効性 ～76% 摂取回数 2回（28日） 保存温度 2～8℃	20億人分を計画	国内で承認 (2021/2/14) 1.2億回分 契約締結
ジョンソン・エンド・ジョンソン	ウイルスベクターワクチン 有効性 72% 摂取回数 2回（21日） 保存温度 −70℃	10億人規模を予定	国内で申請 (2021/5/24)
ノババックス	組換えタンパクワクチン 有効性 95% 摂取回数 2回（21日） 保存温度 −70℃	2021年中に 米食品医薬品局に 使用許可申請	国内治験実施 (2021/2～) 2022年に1.5億回分の供給前提で協議中

出典：Yahoo! ニュース

表3－3　変異株への有効性

	デルタ※ (B.1.617.2)	アルファ※ (B.1.1.7)	ベータ※ (B.1.351)
m RNA ワクチン (ファイザー)	88.0%	93.0%	100.0%
ウイルス ベクターワクチン (アストラゼネカ)	60.0%	66.0%	10.4%

※デルタ、アルファ、ベータはそれぞれインド、イギリス、南アフリカを中心に広まった変異ウイルス

出典：Yahoo! ニュース

る必要があります。
　またワクチンの有効性は、抗体がスパイクをブロックする感染防止効果と感染後の発症抑制効果が主で、それが72～95％と完全ではなく、ワクチン接種しても感染確率は発症確率を含めて5～28％はあることを理解する必要があるでしょう。自然感染でもワクチンによる人工感染でも抗体が産生されるため、次回の再感染確率や発症確率を下げますが、ゼロではないということです。ただし自然感染の場合は病毒が強い分だけ抗体も強いので、再感染確率はもっと少ないでしょう。

3　ワクチンの接種と問題点

エコノ教授：日本では新型コロナの発生から1年2ヵ月経過した2021年2月から、ファイザーとモデルナのmRNAワクチン、アストラゼネカのウイルスベクターワクチンの接種が、医療従事者、高齢者の順番で開始されました。そこでワクチン接種の状況と問題点について、アナから説明してもらいましょう。

ワクチンはどういう発症予防効果があるのか

アナ：ウイルスはまず喉や鼻の粘膜に付着します。すると白血球やマクロファージ（貪食細胞）などの自然免疫力が攻撃・捕食して排除しようとします。自然免疫力は人により強弱は様々であり、免疫力が強い人はかなりを防御できますが、弱い人はあまり防御できません。

そうした防御や攻撃をすり抜けたコロナウイルスは、突起状のスパイクを人の細胞のアンジオテンシン変換酵素２（ＡＣＥ２）受容体に付着させようとします。そこで自然感染やワクチン接種によって既に抗体ができていると、スパイクが受容体に付着する前に抗体がスパイクに付着し、不活化します。免疫記憶細胞からの免疫情報を受け取って、Ｂ細胞は更に抗体産生を増やして対抗します。これが液状免疫です。

仮にスパイクがＡＣＥ２受容体に付着して細胞内に侵入・感染し、ウイルスの増殖を始めると、最早抗体では対抗できません。そこでＮＫ細胞だけでなく、自然感染やワクチン接種で増強されたキラーＴ細胞が感染細胞を攻撃して殺します。これが細胞性免疫です。

つまりワクチンは、液状免疫の抗体や細胞性免疫のキラーＴ細胞などの獲得免疫を人工的に作り出すので、自然感染でできた獲得免疫よりは弱いとしても、スパイクに付着して細胞に侵入する感染確率を下げ、感染細胞を破壊して感染症状をより軽く抑える効果があると言えます。

ワクチンを打つと感染確率を下げますが、ゼロにすることはできないので、未感染の人も、自然感染した人も、ワクチン接種した人も、誰でも感染する可能性はあります。しかし自然免疫力と獲得免疫力は相関しており、免疫力が強い人は両者が強いので感染確率や発症確率が低くなり、免疫力が弱い人は感染確率や発症確率は高くなります。よって結局は免疫力を高める対策が最も重要であり、満尾正博士や奥平智之博士が指摘するように、ビタミンDなどの摂取により免疫力それ自体を増強する対策が、非常に重要となります。

子供はなぜコロナ感染が少なく無症状が多いのか

20歳未満の子供でははACE2受容体の発現量が非常に少ないことがコロナ感染が少ない理由ではないか、という研究成果を、2020年5月に米マウントサイナイ・アイカーン医科大学の研究グループが発表しました。

時事通信によれば、国立成育医療研究センターなどの調査結果で、新型コロナウイルス感染症で入院した18歳未満の子どものうち約3割が無症状で、症状があっても大半は軽症だったことが2021年9月10日に公表されました。同センターと国立国際医療研究センターは、2020年1月～21年2月に報告のあった全国の18歳未満の患者1038人を分析した結果、うち308人（29・7％）が無症状であり、症状がある患者の内訳（複数回答）は、せき（37・1％）、鼻汁（29・5％）、味覚異常（13・0％）が目立ち、2歳未満や13歳以上に多かったといいます。酸素投与が必要な中等症や重症の患者は15人で1・4％にとどまり、死亡者はいませんでした。つまり18歳未満の子供は、98・6％が無症状か軽症で済むそうです。

集団免疫を早く作るには

1人の感染者が他の人に感染させる割合＝基本再生産数を1人未満にすれば、感染拡大は次第に収束していきます。そのためには自然感染とワクチンによる人工感染ともに含めて、集団免疫を形成する必要があります。日本ではワクチン接種累積回数が1億回を超えるほど増えてくるにつれて、第5波のように感染者は爆発的に激増した経緯があり、ワクチン接種による感染防止効果が現れたかどうかは今後の検証が必要です。

製薬会社の説明書ではファイザーは1回目接種から3週間目、モデルナは1回目接種から4週間目に2回目接種をすると、有効性が高まるので望ましいと言います。しかしワクチン接種による抗体の質的能力が弱いとは言え、持続期間は少なくとも3〜6ヵ月と測定されているので、2回目接種はその期間にしても有効なはずです。

製薬会社は集団免疫のことは全く考慮していないので、個人に数週間内に2回目接種を強く要請しますが、集団免疫を形成するためには、2回目接種する以前にまずは1回目接種をできるだけ多くの希望者にして、獲得免疫の保有者を増やすことが最優先される必要があるでしょう。英・米・イスラエルの臨床データでは、ファイザーのワクチンは1回目接種だけでも70〜80%の感染・発症抑止効果が報告されており、英では1回目接種を先行させました。テドロスWHO会長は、世界では多くの貧しい諸国で1回目の接種すらできていないのに、先進諸国で2回目接種をするのは9月以降にして欲しいと要請しました。世界全体で集団免疫を作るためには、公平にまず全員に1回目接種をすることが重要な前提条件でしょう。

この原則に反して一部の人だけが先行予約で2回目接種をできるようにして、1回目さえも接種できない希望者、とりわけ若者の希望者たちを多数放置している今の不公平なワクチン接種戦略では、集団免疫が形成されません。この戦略は集団免疫の観点では有効性が低く、これを改めない限り集団免疫は形成されず、感染爆発は続き、基本再生産数は長期的に1未満にはならないでしょう。ワクチン接種の拡大と共に第5波が日本で超大型に大爆発した事実は、この不公平なワクチン接種戦略が有効でなかった証拠と言えます。

時事通信によれば、8月27～28日に16歳から39歳までの集団接種が東京都渋谷区の特設会場で行われるようになりましたが、受付予定時間の12時より前の7時からたちまち行列ができて満了となり、非常に多くの希望者が接種できない状態が続きました。熱中症の危険をも顧みず、朝7時から行列を作った若者2226人に抽選券を配り、当選したのは354人で、倍率は6・3倍でした。落選した20代の男子大学生は「都のやり方は間違っている」と怒りが収まらず、落選した20代の女子大学生は「インターネットで抽選申し込みができれば来る必要はなかったのに」と落胆していました。

東京オリンピックは第5波の感染大爆発を加速させたか

また、東京オリンピックやパラリンピックを強行したことも、お祭り騒ぎに火をつけ、都民や国民の自粛態度を希薄化し、第5波の感染爆発を加速しました。オリンピックやパラリンピックは強行するけれども、都民や国民は外出を控えろ、子供達は修学旅行を控えろ、という不公平行政を強要する政治家に対して、若者や国民は大いに怒り、不公平感や反感を募らせています。

世界全体では第3〜4波より、ワクチン接種やインド型デルタ株が拡大している第5波の方が感染者数は減少しています。ところが逆に日本では、第3波の7000人に対して第5波は2万6000人と約4倍に大激増しています。これは日本に特有な現象であり、ワクチン接種戦略が有効でないこと、緊急事態宣言の中で東京オリンピックを強行したことなどが原因と見られます。

なぜコロナの感染爆発が収まってからオリンピックを開催すると決断できなかったのでしょうか？　緊急事態宣言下で無観客で強行すれば、少なくとも観客料収入の900億円の赤字が出ます。この大赤字を責任者自身が負担するのを放棄して、都民や国民の税金負担に転嫁しようとしています。自分が無駄に作った大赤字を自分で賠償せずに、都民や国民の税金に転嫁して押しつけようとする無責任な政治が許されてよいのでしょうか。

「嫌われてもいいから、オリンピックの強行に反対するべきであった」と専門家会議の委員が後になって反省しましたが、もしそうした発言をする勇気があったならば、嫌われるどころか過半数の国民世論から支持されたでしょう。東京オリンピックとコロナの関係については、第

10章で詳しく検証します。

自然感染よりはワクチン接種の方が致死率は低いか

日本では2021年8月24日現在、PCR検査数は1983万9651人で、陽性となり自然感染した人は131万4531人であり、退院・療養解除者数は108万3556人で、死亡者数は1万5656人です。よって陽性率は累積平均で6・6%です。ただし8月の第5波では17%にも激増しています。致死率・致命率（＝死亡者数／感染者数）は従来は1・8%程度でしたが、第5波では感染者が大激増したため0・8%と非常に低くなり、感染者1000人当たり8人が死亡者です。

これに対してワクチンの少なくとも1回接種者数は、6728万215人、2回接種者は5253万8669人です。厚生労働省は8月4日に、新型コロナワクチン接種後に死亡した事例が7月30日までに919件（ファイザー912件、モデルナ7件）に上ったことを公表しました。7月21日の前回報告では751件で、168件増えたことになります。累積接種に占める1回接種の割合は56%であるので、7月25日の累積接種データを使うと、1回接種者数は4163万3226人と推定されます。よって概算で計算すると、ワクチン接種の致死率＝死亡者／累積接種者＝919／4163万3226＝0・0022%であり、100万人に22人の計算となります。自然感染の致死率よりはかなり低いと言えます。1回接種者と2回接種者とでそれぞれの死亡者数を公表すれば、それぞれの致死率を計算できますが、データが公表されていません。

厚生労働省は8月25日に、新型コロナワクチン接種後に死亡した事例がその日までに１００２件（ファイザー９９１件、モデルナ11件）に上ったことを公表しました。8月24日の累積接種データを使うと、１回接種者数は６７２８万２１５人です。よってワクチン接種の致死率＝死亡者／累積接種者＝１００２／６７２８万２１５＝０・００１５％であり、１００万人に15人の計算となります。これは第５波の感染大爆発により7月より8月の方が感染者数が大激増した結果と言えます。自然感染の致死率より低いことは変わりありません。

これは、もともとｍＲＮＡワクチンがウイルス本体の病毒を削除して、スパイク部分だけの病毒から作製されているので、抗原の病毒性が非常に弱く、それに対抗してできる抗体も弱くなり、死亡者も少ないことは当然の理論的帰結であると言えます。よってワクチン接種の効果を踏まえた本当の致死率は、スパイク病毒だけのワクチン接種をした後に、スパイク病毒もウイルス本体の病毒も含む自然感染をした場合の致死率を計算して得られます。それが自然感染だけの場合の致死率より低ければ、ワクチン接種の効果があったと言えます。

ですが、未だその集計データは計算されていません。病毒性が高い自然感染の致死率と病毒性が非常に低いワクチン接種の致死率を単純に比較することは、不適切と言えます。

表３−４　ワクチンの副反応

発現割合	症状	
	コミナティ（ファイザー）社	モデルナ（武田薬品）
50%以上	接種部位の痛み、 疲労、頭痛	接種部位の痛み、 疲労、頭痛、筋肉痛
10～50%	筋肉痛、悪寒、関節痛、 下剤、発熱、接種部位の腫れ	関節痛、悪寒、吐き気・嘔吐、リンパ節症、発熱、接種部位の腫れ、発赤・紅斑
1～10%	吐き気、嘔吐	接種後７日以降の接種部位の痛みなど（※）

コミナティ添付文書、COVID-19 ワクチンモデルナ添付文書より。
（※）接種部の痛みや腫れ、紅斑

出典：厚生労働省

ファイザー		モデルナ
38.1%	発熱（37.5℃以上）	78.4%
68.9%	けん怠感	83.9%
90.7%	接種部位反応	91.9%

※順天堂大学コロナワクチン研究事務局の資料より

図３−３　２回目接種後の副反応

出典：順天堂大学、TBS News

各種ワクチンの有効性と副反応

ワクチンの有効性は各人の免疫力に掛かっており、人によって様々であり、副反応（副作用）も様々です。7月25日現在で予防接種法に基づいて医療機関から副反応の疑いがあるとされた報告数は2万105件（ファイザー1万9202件、モデルナ903件）です。うち重症の報告数は3338件（ファイザー3254件、モデルナ84件）でした。このうち医療機関がワクチン接種と関連ありと判定した報告件数は、副反応疑いが1万2599件（ファイザー1万2185件、モデルナ414件）と63％であり、重症の報告数は1606件（ファイザー1557件、モデルナ49件）と48％でした。医療機関が報告したアナフィラキシーは1990件（ファイザー1887件、モデルナ103件）でした。重症とアナフィラキシーと判定された数を合計すると、3596件（ファイザー3444件、モデルナ152件）でした。累積の推定接種回数は7413万7348回でしたので、重症化率は0・005％となります。

製薬会社の添付文書と調査研究機関の調査結果とは若干異なりますが、mRNAが注射後に数日で消失するため、副反応も数日で回復するケースがほとんどであり、医療機関からの報告では重症化に至る割合は0・005％、致死率は0・0022％と少ないです。

自然感染の回復者はワクチン接種をするべきか

自然感染して無症状か軽症で済んだ人の割合は正確には84％であり、中等症や重症のように入院する必要はなく、またワクチン接種より強い抗体ができているはずです。その分、抗体の個数、抗体価は少なくて済むでしょう。中等症や重症でも、回復すれば抗体は維持されていきます。武漢型コロナウイルスに対する抗体は、3～6ヵ月持続するという臨床報告がされていますが、横浜市立大の山中竹春教授らは、自然感染後抗体量は半年で98％、1年で97％を維持するという分析結果を公表しました。時間の経過と共にその抗体価は減少していきます。

その期間内に再度感染すると、樹状細胞がウイルスの抗原情報を解析してヘルパーT細胞へ伝え、その抗原情報をB細胞へ伝えます。知らされたB細胞は、それに特異的な抗体を侵入箇所へ派遣すると共に、更に多くの抗体を必要なだけ産生し、抗体はウイルスのスパイクに付着して侵入を防ぎます。免疫力が強ければ抗体の質的能力（スパイクに早く強く着く結合力）も強いので、産生するべき抗体の必要数は少なくなると見られます。再感染が同じ武漢型ウイルスでない変異株の場合でも、抗体やキラーT細胞などの獲得免疫は同類のコロナウイルスと見なして同様な攻撃を仕掛けます。それが交差免疫です。

また6ヵ月以上経って抗体が検出できなくなっても、免疫記憶細胞にコロナウイルスの抗原情報は記憶されており、長く維持されると推定されています。記憶維持期間は正確には分かっていません。すると次回再度ウイルスが細胞内に侵入して感染すると、樹状細胞がウイルスの抗原情報を提示してヘルパーT細胞へ伝え、その抗原情報を免疫記憶細胞が保持している抗原情報と照合し、それをB細胞へ伝えます。知らされたB細胞は、それに特異的な抗体を産生し、抗体はウイルスのスパイクに付着して、これ以上細胞内へ侵入できないように防御します。

したがってこうした獲得免疫が有効に維持され、交差免疫がある程度有効である限り、少なくとも3~6ヵ月ないし1年はワクチン接種を必ずしなければいけない理由はないでしょう。

しかし未感染者は、こうした抗体を持っていないので、感染した場合の症状とワクチン接種による副反応とを比較衡量した上で、接種するかどうか判断する方がよいでしょう。接種するか否かは、あくまで最終的には各個人の責任で判断します。

変異株の危険性を考慮するとワクチン接種をする方がよいか

ところがアルファ株、ベータ株、デルタ株など次々と変異株が発生しており、感染し易くなったり、重症化し易くなっているという報告があります。変異株は合計では25種類にも及んでいます。これは、2本鎖DNAに比べて1本鎖RNAは不安定で、生き残るためにアミノ酸の配置を変えて容易に変異する性質を持っているからです。

・アルファ株はN501Yの変異がある株で、スパイクタンパクの501番目のアミノ酸がアスパラギンNからチロシンYに変わったものです。イギリス、南アフリカ、ブラジルなどで確認されたもので、感染・重症化ともにしやすくなっているという報告があります。
・ベータ株はE484Kの変異がある株で、スパイクタンパクの484番目のアミノ酸がグルタミン酸EからリシンKに変わったものです。南アフリカ、ブラジル、フィリピンなどで確

表３−５　新型コロナウイルスの変異株

PANGO 系統（WHO ラベル）	最初の検出	主な変異	感染性（従来株比）	重篤度（従来株比）	再感染やワクチン効果（従来株比）
B.1.1.7 系統の変異株（アルファ株）	2020 年 9 月 英国	N501Y	1.32 倍と推定※（5 〜 7 割程度高い可能性）	1.4 倍（40-64 歳 1.66 倍）と推定※（入院・死亡リスクが高い可能性）	効果に影響がある証拠なし
B.1.351 系統の変異株（ベータ株）	2020 年 5 月 南アフリカ	N501Y E484K	5 割程度高い可能性	入院時死亡リスクが高い可能性	効果を弱める可能性
P.1 系統の変異株（ガンマ株）	2020 年 11 月 ブラジル	N501Y E484K	1.4-2.2 倍高い可能性	入院リスクが高い可能性	効果を弱める可能性。従来株感染者の再感染事例の報告あり
B.1.617.2 系統の変異株（デルタ株）	2020 年 10 月 インド	L452R	高い可能性	入院リスクが高い可能性	ワクチンと抗体医薬の効果を弱める可能性

※感染症・重篤度は、国立感染症研究所等による日本国内症例の疫学的分析結果に基づくもの。ただし、重篤度について、本結果のみから変異株の重症度について結論づけることは困難。
※ PANGO 系統（PANGO Lineage）は、新型コロナウイルスに関して用いられる国際的な系統分類命名法であり、変異株の呼称として広く用いられている。括弧内の変異株名は、WHO ラベルである。

出典：MEDIUS

認されたもので、免疫やワクチンの効果を低下させる可能性が報告されています。

・デルタ株はL452Rの変異がある株で、スパイクタンパクの452番目のアミノ酸がロイシンLからアルギニンRに変わったものです。インドで確認されたもので、1日34万人が感染しました。感染力が非常に強く、免疫力やワクチンの効果を低下させる可能性が報告されています。

今までアルファ株やベータ株については、抗体など液性免疫からウイルスが逃避するようになり、免疫力が低下するという研究結果が報告されましたが、東京大学医科学研究所の佐藤佳准教授などの研究では、デルタ株についてはキラーT

細胞など細胞性免疫からウイルスが逃避するようになり、免疫力が低下するという研究結果が、2021年6月に報告されました。するとインド型のデルタ株では、感染力が非常に強い（ACE2受容体に早く強く結合する質的な力が大きい）上に、重症化リスクが非常に大きくなる可能性があります。そこで京都大学の河本宏教授が開発しているキラーT細胞の新治療薬に期待が寄せられるでしょう。

日本の第5波では1日2万6000人も感染するというかつてない大感染爆発が起こり、重症者数も激増していますが、その背景にはデルタ株が7割を占めるほど急速に広がったことが一つの重要な原因となっています。ただしその割に死亡者数がそれほど増えていないので、致死率は1・8%から1・2%、さらには0・8%へと低下しています。

したがって自然感染で獲得免疫を得たが、免疫力が弱くて交差免疫だけで変異株に対抗できないと予想される人の場合、及び未感染で獲得免疫が何もない人の場合には、多種の変異株にも有効性を多少とも持つワクチンの接種は検討する方がよいでしょう。

ワクチン接種しても再感染して死亡したケースと新しい変異株

2021年4～6月にコロンビアでは1日平均700人が死亡しました。その3分の2が感染していたのが、「ミュー株」という新しい変異株です。ミュー株は2021年1月にコロンビアで最初に確認され、その後、世界40か国以上に広がり、日本では6月にアラブ首長国連邦

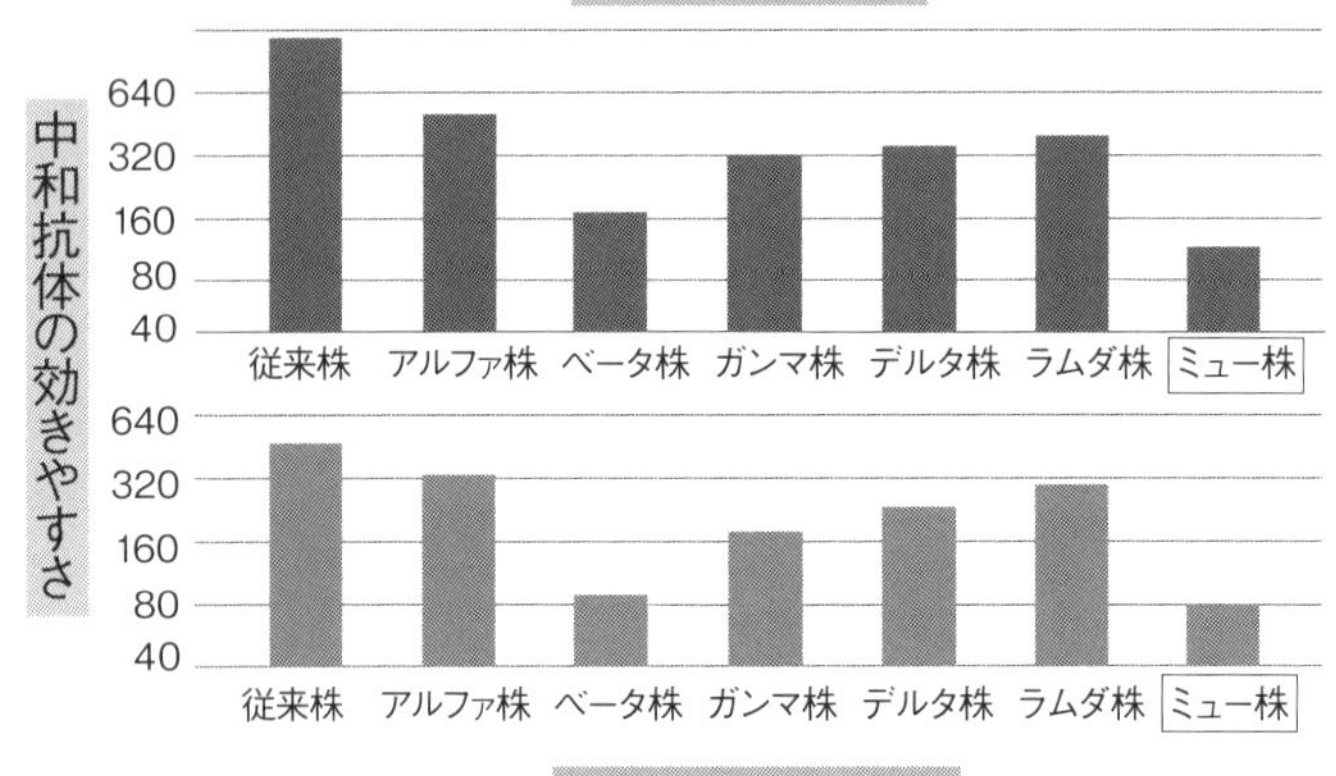

図３-４　各種変異株への抗体の効き易さ

出典：ANNニュース（2021年9月8日）、東京大学医科学研究所佐藤佳准教授

から、７月にイギリスからそれぞれ入国した女性２人から検出されました。その後国内に広まり、既に１人からミュー株が検出されました。

東京大学医科学研究所の佐藤佳准教授らの研究によると、図３-４のように、すでに自然感染した人とワクチン接種をした人を比較すると、従来からの武漢型や種々の変異株に対して、中和抗体の効き易さは自然感染の方が約２・７倍有効です。それだけ自然感染の免疫力が強いことを意味します。ところがミュー株では中和抗体の効力は最も弱く、自然感染でもワクチン接種でも武漢型の７分の１程度しか効果がなく、自然感染に比べてワクチン接種では更に３割ほど効果が劣ります。

ベルギーでは２０２１年７月、老人介護

施設の入居者28人のうち7人がミュー株で死亡しましたが、死亡した7人全員がワクチン接種を2回した人でした。ワクチン接種後に自然感染をすると、「ブレークスルー感染」とも呼ばれ、ワクチン接種で発症抑制率の効果は5～28％と臨床データから言われますが、ワクチン接種後の再感染確率は全く別であり、これよりもっと大きく、自然感染よりも大きいと見られます。

仮に第5波で猛威を振るっているデルタ株が後退しても、それより更に感染力や免疫逃避が強く、重症化しやすいミュー株が感染拡大してくると、次の第6波もかなり大きくなる危険性があるでしょう。

ウイルスのRNAは、抗体やキラーT細胞などの獲得免疫力による攻撃に対して、適応して生き延びるために、抗体よりも早く強く受容体に結合したり、キラーT細胞の攻撃から逃避したりするように、RNA配列の一部にアミノ酸の変異を起こします。ワクチンは弱毒化したとはいえ、抗体やキラーT細胞を人工的に作り出すため、それらの攻撃に対してウイルスも次々と変異して対応します。よってワクチン接種それ自体がウイルスの変異を促す側面を持つので、イタチごっこになりかねません。ワクチン接種による獲得免疫よりも自然感染による獲得免疫の方が強いので、コロナ感染症の収束のためには、結局は自然免疫力を高める医療対策を強力に実施することが最も重要になるでしょう。

ワクチン接種で死亡した場合の原因の立証責任は会社側にある

ワクチン接種が進む中で、衝撃的な事件が発生しました。モデルナのワクチンに異物が混入しているものがあり、一部が廃棄されたのです。異物混入ワクチンと同じスペインの工場で同時期に製造されたモデルナ・ワクチンの2回目接種を8月に受けた30代の男性2人が、その後発熱し、2人とも3日後には死亡しました。厚生労働省は「現時点ではワクチン接種と死亡の因果関係は不明で、異物混入が原因であることを示す情報もない」と説明しましたが、「異物混入が原因でないことを示す証拠もない」ことも明らかであり、要するに何も原因究明をしていない、と言えます。この2人が接種したのは製造番号「3004734」の製品で、これまでに異物混入があったという報告はないが、異物が複数見つかった「3004667」と同時期に同じスペインの工場で製造されており、26日に使用の見合わせを決定しています。それが原因でないのなら、なぜ使用停止を決定したのでしょうか？

四大公害裁判でも明確に確立したように、モデルナ社や厚生労働省は「異物混入が原因でないことを立証できない限りは、異物混入が原因であると見なす」という発生者負担原則を適用するべきでしょう。死亡した被害者側に原因立証を求めるのは到底無理な不合理であり、発生者側が立証責任・挙証責任を負う原則です。ファイザー社やモデルナ社などワクチン業者はコロナ禍でワクチン事業により巨額の利益を得ているので、「我が社の製品が死亡の原因ではないという立証責任」を果たせない場合には、1人の死亡につき正当な相当額（数億円）の損害賠償を支払うべきであり、その支払余力は充分にあるはずです。

もともと開発の臨床試験期間が通常の2〜3年ではなく半年と異常に短く、ワクチン接種による死亡確率はゼロではないので、死亡事故による損害賠償も織り込んで製造・販売をすることが望ましいでしょう。発生者負担原則に基づくワクチン接種による死亡確率は0・002%であるので、それを見込んで損害賠償を保証することを制度化すれば、ワクチン接種のリスクに対する不安が減ってワクチン接種が増え、集団免疫の確立へもプラスの政策効果があるでしょう。

東京大学医科学研究所の石井健教授によれば、日本では、万が一のワクチン健康被害に対して救済する制度があり、定期接種の場合は、予防接種法に基づいて医療費が支払われる予防接種健康被害救済制度があります。これは、予防接種によって起こったものでないと立証されない限り、補償を受けることができます。これはまさに上記の発生者負担原則に基づく補償制度です。任意接種と言ってもコロナワクチン接種は国が無料で行うことを推奨しているので、この発生者負担原則を適用するべきでしょう。

一方、任意接種は、医薬品医療機器総合機構（ＰＭＤＡ）が実施する医薬品副作用被害救済制度が適用されます。

ワクチン接種の最終判断は個人の責任で判断する原則

同じく石井健教授の指摘によれば、病原体を弱毒化あるいは不活化して予防薬にするワクチンは、副反応が起こる可能性をゼロにすることはできません。よってワクチン接種により助かる効果と副反応による悪影響を共に比較衡量して、最終的には各個人がきちんと判断する必要があります。

医療従事者はワクチン接種について正しい説明をおこない、研究者はできる限り副反応の頻度や程度を低くして安全な予防接種ができるよう開発していくことが必要です。行政関係者は、まれながら一定の頻度で起こる副反応に対して十分な補償をする制度を構築していくことが望ましいでしょう。

第4章　新型コロナに打ち勝つ新しい治療薬とは何か

1　危機管理の基本戦略と治療薬の開発・財政支援

危機管理の基本戦略と治療薬の開発戦略

エコノ教授：新型コロナ感染症は現代の人類が経験したことがないウイルスによる脅威の病気であるので、政府は単純に感染拡大を恐れて消極的な経済活動自粛策にこだわるのではなく、まずはコロナ感染症に打ち勝つ積極的な医療対策を最優先して、資金も人的資源も注ぎ込むべきでした。

治療薬や予防薬のワクチンなど医療対策が改善・確立すれば、重症化や死亡は非常に少なくなるので、経済活動の自粛も1～2割程度で漸進主義的かつ段階的、持続的に維持することができ、急激な抑制策により経済に大きなダメージを与えることもなく、急激な解除策によるリバウンド効果のため感染者や重症者や死亡者を激増させることもなかったでしょう。

ニューヨーク州やスウェーデンの漸進主義的な行動規制も参考にするべきでしょう。日本では危機管理政策の基本戦略が有効ではありませんでした。そのためワクチン開発の現状を見ても、日本は世界的にかなり出遅れる結果になりました。

医学・薬学研究者は限られた資金の制約の中で精一杯頑張っており、その努力には誰しも敬意を払うでしょうが、その努力を国家の財政政策で早期に、積極的かつ大規模に補助して、ワクチンなど国産の予防薬・治療薬の早期実用化を図るべきでした。アメリカではトランプ前大統領が、自身がコロナ感染したこともあり、また大統領選挙を睨んで、「ワープスピード作戦」では2020年末までにワクチンを開発することを目標に、巨額の財政資金が協力企業へ補助され、研究開発が急ピッチで促進されました。例えばファイザー1社で2200億円の前払金が支払われましたが、日本のワクチン開発では、塩野義製薬に370億円の補助金が交付され、2022年初めの開発を目指しているに過ぎません。

結果的にアメリカでは、通常は2~3年かかるといわれる治験段階からのワクチン開発は2020年6月頃から始めて半年ほどという超スピードでできあがり、2020年12月には認可されるに至りました。

新薬開発事業には、政府の財政補助が決定的に重要な役割を果たします。

2　中和抗体、スーパー中和抗体の製品化

抗体の構造とは

エコノ教授：ワクチンの場合は、病原体を弱毒化したり遺伝子操作したりして人工的な疑似ウイルスないしその設計図を生成し、それをヒトの細胞へ注入し、それに対抗して抗体を作るのに対して、抗体そのものを作り出す研究も行われてきました。抗体は病原体ではないので、ワクチンのような副作用をもたらさないというメリットがあります。その研究・開発状況について、アナから詳しく説明をしてもらいましょう。

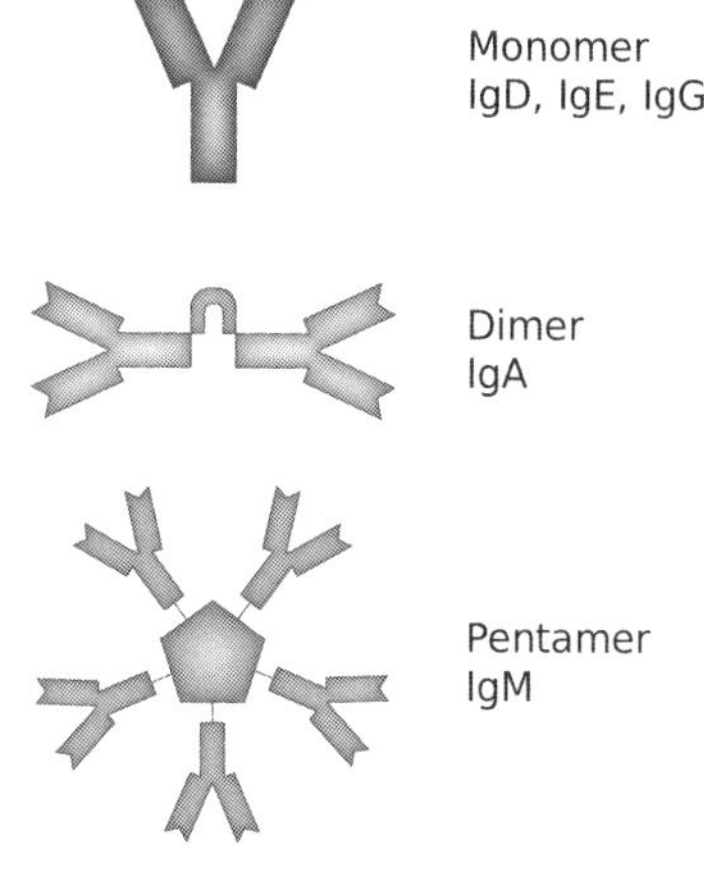

図４－１　抗体の構造と種類

出典：Wikipedia

アナ：体内に異物（抗原）が侵入すると、白血球やマクロファージなどが捕食して排除しようとするのが自然免疫です。それでも対応がしきれない場合は、リンパ球の一種であるＢ細胞が抗原に特異的に結合する糖タンパク分子を生成し、抗原を排除しよ

うとします。その糖タンパク分子がY字型の構造をした抗体（antibody）であり、免疫グロブリン（immunoglobulin: Ig）と呼ばれ、獲得免疫を形成します。こうした免疫反応は、脊椎動物に特有のものであり、無脊椎動物にはありません。

ＩｇＭ抗体とビタミンＤの役割

ヒトの免疫グロブリンＩｇには5種類があり、侵入した抗原に対して最初に産生され、初期免疫を司るＩｇＭが10％、抗原に対して後から産生されるＩｇＧが70～75％を占めています。東京大学の児玉龍彦名誉教授が２０２０年5月「新型コロナウィルスへの血清ＩｇＭ、ＩｇＧ抗体の定量的かつ大量測定プロジェクト」を実施し、抗体検査の疫学的な調査をしたところ、コロナ感染直後にＩｇＭ抗体が急速に増えて抗原と戦う人の場合には無症状か軽症で済み、逆にＩｇＭ抗体が急速に増えずにすぐに減少する人の場合には、免疫は上手く機能しておらず、中等症か重症になる傾向があると言います。

ＩｇＭ抗体が感染初期から強く機能する原因は解明されていませんが、ビタミンＤがウイルスの複製率を低める物質を誘導し、抗炎症性サイトカイン濃度を増やすなど、免疫調節に強く関与している事実から、ビタミンＤの血中濃度が高いことが一つの原因と推定されます。この理論仮説を検証するためには、ＩｇＭが初期から機能するグループとそうでないグループに分けて、ビタミンＤの血中濃度を測定する必要があります。

交差免疫とビタミンD

ウイルスの遺伝子が変異した場合に、抗体は全く無力になるのではなく、多少の変異に構わずに抗原を攻撃する力をある程度持っており、これを交差免疫ないし交差反応と言います。京都大学iPS細胞研究所の城憲秀特定助教や濵﨑洋子教授らの研究結果によれば、以下の４つの事項が２０２１年８月に報告されました。

①新型コロナウイルスに反応する記憶型T細胞（交差反応性T細胞）が未感染の日本人においても確認された。
②未感染者がもつ新型コロナウイルス反応性ヘルパーT細胞のほとんどは交差反応性T細胞であり、その数や機能性は、高齢者と若齢者で大きな違いは認められなかった。
③高齢者では、新型コロナウイルス反応性キラーT細胞のうち、ナイーブ型T細胞が若齢者に比べて少なく老化したT細胞が多かったが、高齢者が重症化しやすい一つの要因と見られる。
④サイトメガロウイルスに感染した若齢者では、老化した新型コロナウイルス反応性キラーT細胞が増加していた。

新型コロナウイルス感染症の症状やそれに対する免疫反応、交差免疫については、個人差や年齢差があります。そうした差がなぜ生じるか未だ解明されていませんが、免疫調節全般にビタミンDが深く関与している事実から、その影響が考えられます。この理論仮説を検証するためにはやはり、グループ毎にビタミンDの血中濃度を測定する必要があります。

中和抗体の開発

そこで、感染して回復した人から採血して中から強い抗体を取りだし、それを基に治療薬を開発するのが中和抗体です。ワクチン開発と併行して、抗体そのものの開発も進められてきましたが、未だ承認は得られず、緊急使用許可（EUA）が得られたものが米国で3件だけあります。しかし未だEUAの段階であり、完全には有効性が確立していません。

米製薬企業リジェネロン社とスイス製薬大手ロシュ社とが開発し、カシリビマブとイムデビマブという2つの抗体を混合して製品化したのが「中和抗体カクテル」であり、日本では2021年7月19日に中外製薬が国内販売の特例承認を受けました。2種類の抗体を組み合わせた点滴薬で、変異株への有効性が上がり、軽症や中症の患者を対象とし、臨床試験では重症化や死亡を約7割防ぐことができるといいます。感染大爆発が起こった第5波で、死亡者の増え方がマイルドで、その結果致死率が0・8％にまで低下した背景には、中和抗体などを使った治療技術の向上があると見られます。

2021年5月に広島大学と京都大学の研究チームが、また2021年6月には富山大学（仁井見英樹准教授、小澤龍彦准教授など）と富山県衛生研究所の研究グループが、新型コロ

表4－1　中和抗体の開発状況

薬剤名	種類	社名	開発状況
バムラニビマブ／エテセビマブ	抗体（併用）	米イーライリリーなど	米EUA
カシリビマブ／イムデビマブ	抗体カクテル	米リジェネロン／スイス・ロシュ	米EUA
ソトロビマブ	抗体	英GSK／米ビル	米EUA
VIR-7832	抗体		—
AZD7442	抗体カクテル	英アストラゼネカ	P3
モルヌピラビル	低分子	米メルクなど	P3
AT-527	低分子	米アテア／スイス・ロシュ／中外製薬	P2
BI 767551	抗体（吸入）	独ベーリンガーインゲルハイム	P1/2a
PF-07304814	低分子（注射）	米ファイザー	P1
PF-07321332	低分子（経口）		P1
VIR-2703 (ALN-COV)	核酸医薬	米アルナイラム／米ビル	—
抗ウイルス薬	低分子	塩野義製薬	—
抗ウイルス薬	低分子	オンコリスバイオファーマ	—
抗ウイルス薬	ペプチド	ペプチドリーム	—

EUR＝緊急使用許可。各社の発表などをもとに作成。

出典：AnswersNews

ナウイルスの変異株にも有効な中和抗体を遺伝子操作により人工的に作ることに成功したと公表しました。

富山大学の仁井見英樹准教授などによれば、新型コロナウイルス感染症の回復患者の血清中の中和活性を測定し、高力価（結合度の高い）の中和抗体を持つ患者を選定し、次にその患者の末梢血B細胞の中から、スパイクタンパク質に強く結合する抗体を作っているB細胞を選び出し、そのB細胞から抗体遺伝子を取り出して、遺伝子組換え抗体を作りました。この抗体の中から中和活性の特に高い（＝感染を防御する能力に優れた）抗体を特定し、最終的に多種の変異株の感染を防御するスーパー中和抗体28Kを取得することに成功し、２０２１年６月14日に特許を出願しました。

このように、最も強い中和抗体を選んで、武漢型だけでなくイギリス型など他の変異株に対しても有効となるように、遺伝子操作により人工的に中和抗体を改変したと言います。これを軽症や中等症の患者に投与することにより、重症化を防ぐことが期待されると言います。

ただし、感染しても全く無症状のまま陰性に回復した人の場合には、更に強い中和抗体が産生され、それを患者に投与すれば無症状化する可能性があり得るので、更に慎重な研究が必要と見られます。富山大学では製作した中和抗体を「スーパー中和抗体」と名付け、製品化する製薬会社を募っていますが、同大学長は「いかに早く製品化できるか。残念ながらワクチンでは、日本は大きく後れを取った。この分野では何とか世界のトップについていって、日本から世の中に出したい」と述べました。後ろ向きの消極的な経済活動抑制策に拘泥するのではなく、こうしたコロナ感染症と正面から闘う画期的な医療対策に対して、政府の積極的な財政支援が望まれます。

2　キラーT細胞の製品化への促進策

抗体の効力と限界

アナ：コロナウイルスに自然感染をすると、まず白血球やマクロファージなどの自然免疫が攻撃し、それでも足りない場合には、抗体を作りウイルスのスパイクに付着して感染力をブロックします。抗体によりウイルスは病毒性を発揮できずに中和されるので、中和抗体とも言います。

　しかし抗体がブロックする以前にウイルスがヒトの細胞内に侵入すると、細胞内で増殖するので、最早抗体は効力がなくなります。ワクチン接種によって産生された抗体の場合も、また遺伝子操作により人工的に生成された中和抗体の場合も同様であり、抗体をすり抜けてウイルスが細胞内に侵入すると、抗体の効力はありません。これらの抗体による獲得免疫の機能は完全ではなく、限界があります。

感染するとキラーT細胞が感染細胞を破壊する

そこで登場するのがキラーT細胞です。自然感染の場合はウイルスの侵入に対して抗体が産生されてスパイクに付着し、ウイルスの抗原情報を受け取ったキラーT細胞がウイルスが侵入した細胞を認識してその感染細胞を攻撃して殺します。前者が液性免疫であり、後者が細胞性免疫です。そしてその残骸を白血球やマクロファージが捕食して分解し、体外へ排出します。

京都大学ウイルス・再生医科学研究所の河本宏教授を中心とする研究では、新型コロナに感染して完治した患者から採血して、新型コロナの遺伝子を記憶したキラーT細胞を析出し、どんな細胞や組織にもなることができる万能細胞のiPS細胞を材料に培養し、治療薬にすることを目指しています。

iPS細胞はノーベル賞を受賞した山中伸弥教授が発明し、京都大学はそれを有効使用する技術が世界で唯一だということです。どんなに強力であっても、ある特定の完治者のキラーT細胞は、他の患者にそのまま注入すると免疫系が拒否する危険性があるので、拒否反応が出にくいiPS細胞を材料にしてキラーT細胞を大量に複製することに成功したそうです。

コロナウイルスの変異はスパイクタンパクに起こるので、インド型デルタ株などでは、抗体の有効性が落ちると言われています。しかしキラーT細胞は感染した細胞全体を攻撃するので、スパイクの変異にかかわらず有効性を保つことができる点で優れています。ただし3段階の臨床試験で安全性を確認した上で製品化し、申請をして承認されるまでは、まだ3年ほど掛かるそうです。

そこでコロナ感染症の収束・終結に向けては、こうした質的に強力な中和抗体やキラーT細胞の治療薬の製品化への先端的な努力に対して、政府は積極的かつ大規模に財政支援して、できるだけ早期に実用化することが極めて重要であり、また望ましいでしょう。

※本章の記述に対して、河本宏教授から貴重なコメントを頂きました。厚く御礼申し上げます。

コラム

新型コロナに負けない最強野菜スープのレシピ

ビタミンDが抗体や免疫力を増強する！

エコノ教授：ビタミンDがインフルエンザなどのウイルスに対する免疫力を高めることは、以前より知られており、学術的な研究論文も多く書かれてきました。ビタミンDの血中濃度が30ng／mℓ以上の人はコロナウイルスにほとんど感染せず、感染しても無症状か軽症で済むことを疫学的に検証した論文が、満尾正医学博士により発表されました。

ビタミンDは①ウイルスの複製率を低下させる物質を誘導する、②炎症性サイトカインの濃度を低下させる、③抗炎症性サイトカインの濃度を増加させる、ことも判明してきました。したがって、コロナウイルスに対する免疫力を高め、感染確率を下げると共に、重症化やサイトカインストームによる死亡を防ぐ上で、ビタミンDは大変重要な免疫調節の役割を果たします。

自然免疫も獲得免疫も共に高めるためには、ビタミンDを必要量だけ毎日摂取することが望ましいでしょう。

ビタミンDが多く含まれているのは、まずは魚類です。イワシ、サンマ、カレイ、サケ、ブリ、シラスなどに多く含まれます。またビタミンDはカルシウムの吸収を高める効果もありますので、その意味でも魚を摂ることは理にかなっています。きのこ類も、ビタミンDを多く含む食品です。干しシイタケや乾燥キクラゲなどがおすすめで、特にシイタケは紫外線にあたるとビタミンDの量が増えるので、使う前に天日干しするとよいでしょう（干しシイタケでももう一度日光にあてるとよいです）。

干しシイタケやキクラゲ（木耳）は日本、中国、韓国でも古くから食用としてこられたため、これらの東アジア諸国ではビタミンDの血中濃度が高く、新型コロナの感染率、重症化率、死亡率を比較的に低くしているファクターXの一要因とも考えられます。また日本では青魚を比較的に多く食べる伝統があり、ＤＨＡやＥＰＡの摂取量も多いです。よって、中性脂肪値を下げ、血管年齢を若く保ち、心臓病・脳梗塞・動脈硬化を防ぐ等の効果により免疫力を高めるので、これもファクターXの一要因と考えられます。ＷＨＯの調査では２０２０年の日本の平均寿命は84・21歳（女性87・74歳、男性81・64歳）と世界一であり、アメリカの78・54歳、中国の76・54歳より長寿ですが、その一要因とも考えられます。

食物だけでは必要量を得られない場合には、ビタミンDのサプリメントで補いましょう。

カテキンは抗体と同様にコロナウイルスを不活化する！

アナ：2020年11月、奈良県立医大の矢野寿一教授は、試験管内のカテキン入りのお茶にコロナウイルスを浸けると、1分で99%が不活化して感染力を失う事実を実験で検証しました。また京都府立医科大学の松田修教授は2020年5月、同様の実験でカテキンが10秒ほどでコロナウイルスを不活化する効果が確認されたと報告しました。カテキンは血液中には吸収されにくいので、熱いお茶を口内でゆっくり回して味わいながら飲む方法が効果的であると指摘しています。

つまりカテキンは、ワクチン注射によって作られる抗体と同様な仕組みで、ウイルスのスパイクに付着して不活化する訳です。ウイルスは細胞膜がないので非生物とされ、表面のスパイク状の突起により生物に付着します。カテキンはそのスパイクに付着するため、ウイルスのスパイクは生物に付着できなくなり不活化します。

カテキンはタンニンと呼ばれるお茶の渋味の主成分ですが、紅茶、番茶（焙じ茶）、緑茶などに多く含まれます。コロナウイルスは高熱に弱いので、お茶はできるだけホットで飲むのが良いでしょう。

カテキンの名称は、インド原産のマメ科アカシア属の低木ペグノキから採取される生薬「カテキュー」に由来します。英語は catechu で、発音は「キャティチュー」であり、日本語では「ペグ阿仙薬」とも呼ばれてきました。

熱した野菜スープは生野菜の10倍のファイトケミカルを抽出する！

元ハーバード大学准教授の高橋弘医学博士は、野菜を熱することにより固い細胞膜を壊して、ファイトケミカルと呼ばれる栄養素を、生野菜の約10倍も抽出できることを指摘しました。トマトのリコピン、ブドウのポリフェノール、紫タマネギのアントシアニン、お茶のカテキン、胡麻のセサミン、大豆のイソフラボン、人参のカロチンなど数十種類のファイトケミカルを抽出できます（『免疫力を上げる！ ハーバード大学式 命の野菜スープ 新型コロナウイルスに勝つ！』高橋弘著、マキノ出版）。

動物は敵からの攻撃を避けるために、足で逃げることができます。しかし植物は足がないので逃げることができません。そこで植物は風雨による腐敗や太陽の紫外線から自分の身を守り、動物に食べられてしまうという敵からの攻撃を回避するため、苦味や渋味あるいは辛味のするファイトケミカルを、固い細胞膜の中に生成します。人間はそれらのファイトケミカルを上手く調理・精製すれば、健康や様々な生命機能のために有効利用できることを知っています。

そこでここでは、コロナウイルスの感染確率を下げて、たとえ感染しても無症状か軽症で済むために、ビタミンDやカテキンやファイトケミカルを豊富に含む最強の野菜スープを作ってみましょう。野菜スープのレシピについては、料理が得意なカムイに説明してもらいましょう。

最強の野菜スープのレシピ

カムイ：ビタミンDとカテキンを豊富に含み、ファイトケミカルも豊富に抽出した野菜スープには、免疫力を増強し、抗体と同様にウイルスのスパイクを不活化する効果があります。家庭で手軽にできる感染予防の医療対策となりますので、皆様ぜひお試し下さい。レシピは以下の通りです。

①ビタミンDを抽出する

- 干しシイタケ（大）2～4枚を、さっと水洗いしてから、ボウルにちょうど浸るくらいの水300ccを入れ、冷蔵庫で2～3時間置き、その後細切りにします。4枚（12g相当）でビタミンDは1・6μgになります。
- キクラゲ（小）を3～4枚さっと水洗いしてから、ボウルにちょうど浸るくらいの水を入れ、2～3時間置きます。干し椎茸と同じボウルに入れても構いません。その後細切りにします。4枚（4g相当）でビタミンDは3・4μgになります。
- 野菜スープだから生の魚類は使えませんが、乾物の鰯の削り節を加えると、隠し味で引き立ちます。2gでビタミンDは1μgになります。

②カテキンを抽出する

紅茶（または番茶、緑茶）のティーバッグを、沸騰させた400ccのお湯に入れて、カテ

大鍋で材料全部を入れて煮る

出来上がった野菜スープを盛り付ける

キンを抽出します。カテキンの含有量が多いのは、紅茶↓番茶↓緑茶の順番です。
③数十種類のファイトケミカルを含む野菜などを細かく切る（各々少量でＯＫ）
- キャベツ、ニンジン、ジャガイモ、カボチャ（以上は高橋弘医学博士が推奨）
- トマト（カットトマトかトマトジュースを多めに入れるとミネストローネ風味のスープになります）
- セロリ、ブロッコリー、タマネギ、紫タマネギ、アスパラガス、ショウガ、昆布、ピーマン、白スリごま、青ネギ、大豆、カブ、グリーンピース、リンゴ、大根、赤パプリカ、バナナ、イチゴなど。

④大鍋（土鍋）に材料全部を入れて約20分間煮る
大鍋（土鍋）に①と②を水や紅茶も一緒に入れて、合計で１５００ccになるように水を適宜追加します。それに③を入れ、コンソメ2個、塩小さじ1杯を入れて、強火で約20分間煮ます。各材料の分量は適宜調節してください。

エコノ教授：新型コロナウイルスに対して打ち勝つためには、単なる消極的な経済活動抑制策ではなく、ビタミンDやカテキンの積極的な摂取により免疫力を日常的に増強することが極めて重要であることが、多くの地道な研究成果によって明らかにされてきました。皆様方には、家庭で手軽に作れるこの野菜スープをぜひお試し頂きたいです。

実は私自身、この野菜スープを毎日飲むと同時に、ビタミンDのサプリメントやカテキンの濃い紅茶を毎日飲んでいたので、体温はいつでもほぼ36・5℃、喉の痛みも味覚障害も全く無く、コロナ感染症に特有な症状は無症状であって気づきませんでした。インフルエンザに感染したことも、かつて一度もありませんでした。ところが、4月にPCR検査をしたところ陽性反応でした。軽い咳がやや出たり、白い痰がやや絡む程度の軽い風邪の症状はありましたので、保健所と相談の上でそれを初期症状と見なして10日間の自宅療養をし、2週間ほどでPCR検査は陰性に回復しました。つまり免疫力や抗体が強く、ほぼ無症状のまま陰性を回復した訳です。

ビタミンDの必要量摂取は免疫力を強化し、カテキンは抗体以前にウイルスのスパイクに付着して、不活化します。

こうした医療対策を積極的に進めた上で、ワクチン接種がほぼ全体で終われば、日本全体で集団免疫が確立し、コロナ感染症拡大が収束する目処が立ってくるでしょう。ただし世界全体でそうした集団免疫が確立されないと、国境を越える往来により収束の目処はつかないでしょう。

第Ⅱ部　経済をどう立て直すか

第5章　新型コロナパンデミックによる不況をどう回復させるか

1　緊急事態宣言で経済はどのような打撃を受けたか

緊急事態宣言で経済はどう悪化したか

エコノ教授：これまで、日本の新型コロナウイルスの感染・発症の状況や、それに対する対策の検証を行ってきました。ここからは、新型コロナパンデミックが経済にどのような打撃を与えたのか、そこから立ち直るためにはどうすればいいのかを考えていきましょう。

カムイ：第Ⅰ部で見てきたような新型コロナの感染者や発症者の激増に対して、重症者を入院させる医療施設が満杯状態となり医療崩壊が心配され、ホテルなどで仮収容させて治療する事態となりました。そのため、各国では都市封鎖や緊急事態宣言によって不要不急の外出を抑え、飲食店や接客業の営業時間を短縮し、出勤の代わりにテレワークを導入して、経済活動が大幅低下する結果となりました。

エコノ教授：月次データのＣＩ景気動向指数（コンポジット・インデックス）で、毎月の経済

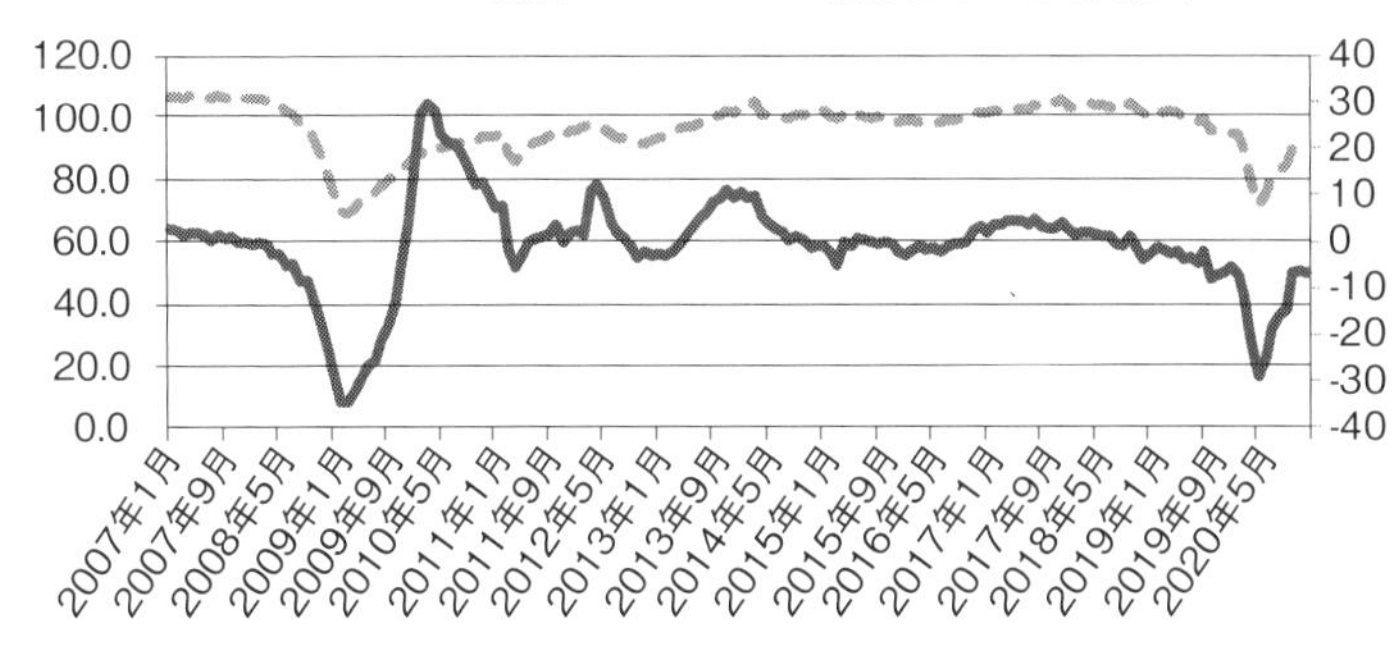

図５－１　景気動向指数CI一致系列と変化率

出所：内閣府景気統計より作成

活動の水準と変化率を調べてみましょう。

破線のＣＩ指数は経済活動の水準（２０１５年を１００）を表しています。２００８年のリーマンショック後の不況、２０１１年の東日本大震災後の景気後退、２０１４年の消費税増税後の景気後退、２０１８年の米中貿易摩擦による景気後退、２０１９年の消費税再増税と新型コロナ禍による景気後退で、ＣＩが１００未満に落ち込んでいます。景気の底はリーマンショック不況（２００９年３月）で69・３、東日本大震災不況（２０１１年４月）では85・８、消費税増税後の景気後退（２０１６年５月）では98・１となっています。

それらに対し、消費税再増税とそれに連続するコロナショックの後の景気後退（２０２０年５月）ではＣＩが71・７となっています。これは第１波の緊急事態宣言が２０２０年４月７日に発出されて営業自粛が急激に進んだためと言えるでしょう。今回は景気の底であったリーマンショック不況（２００９年３月）のＣ

I69・3に近い大きな不況と言えます。

実線のCI変化率（前年同月比）で見ると、CIの水準より明確に景気変動が分かります。2008年リーマンショック、2011年東日本大震災、2014年消費税増税、2018年米中貿易摩擦、2019年消費税再増税とコロナショックの後にマイナスへ落ち込んでいます。経済活動には月毎に特有の季節変動があるから、それを除去するためには前期比ではなく前年同期比で分析する方が適切であると言えます。

2019年10月の消費税再増税後では2019年11月に△7・9%と最も大幅に落ち込みましたが、コロナ禍の悪影響では緊急事態宣言が発出された直後の2020年5月に△29・4%と最悪の落ち込みとなりました。リーマンショック不況の底では、CI変化率は△34・6%の最低を記録しました（2009年2月）。今回の不況はそれに次ぐものと言えます。

四半期の実質成長率で見ると緊急事態宣言で経済はどう悪化したか

カムイ：そうですね、教授の言うように月次データのCI景気動向指数の変化率を見ると、景気の好不況が月毎にはっきりと分かります。では四半期（3ヵ月）データの実質GDP成長率を見るとどうなるか調べた所、前年同期比の実質GDP成長率が前年同期比のCI変化率と非常によく似た動向を示していることが分かりました。

図5-2はCI景気動向指数の変化率と同じ期間の実質GDP成長率（前年同期比変化率）

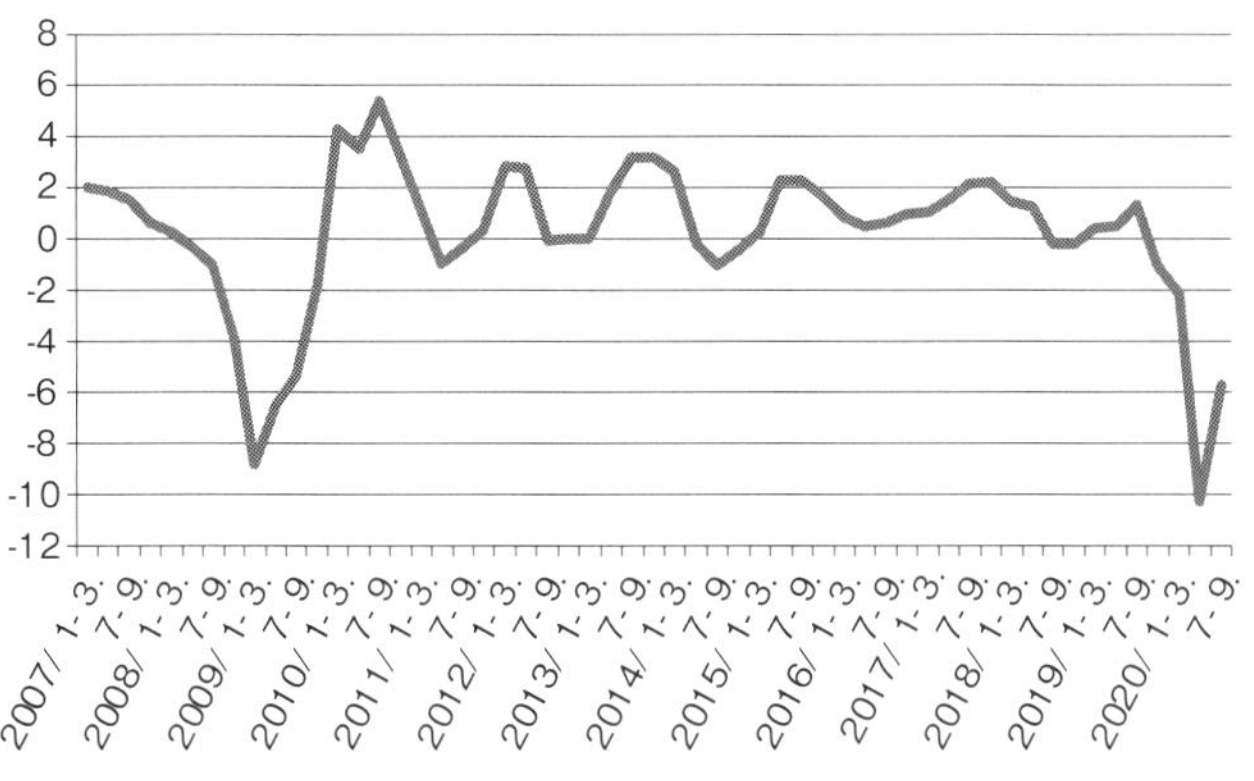

図5－2　実質GDP成長率の推移

出所：内閣府GDP統計より作成

を内閣府統計から作図したものですが、非常によく似ています。2四半期以上のマイナス成長は景気後退ないし不況と経済学で定義されますが、2008年のリーマンショック後の不況、2011年の東日本大震災後の景気後退、2014年の消費税増税後の景気後退、2018年の米中貿易摩擦による景気後退、それに2019年の消費税再増税と新型コロナ禍の景気後退であります。

実質GDP成長率ではリーマンショック後の2009年1～3月期に△8・9％と大幅なマイナス成長を記録しましたが、新型コロナ不況では2020年4～6月期に△10・3％の更に激しいマイナス成長を記録したから、リーマンショックよりコロナショックの方が大きかったと言えますね。これは大多数の国民の実感に合っているのではないでしょうか？

エコノ教授：大変重要な問題を正確に分析してくれたと思います。官庁エコノミストは景気動向指数を重視していますが、景気動向指数は各成分のウェイト付けが恣意的であり、経済全体の動向をあまり正しく反映できていません。それに対してGDP統計は経済全体の全ての分野における付加価値を正確に反映しているので、景気動向指数よりもGDP統計を重視する方が客観的で科学的な判断ができますね。ただしGDP統計は四半期統計なので、毎月の動向を見れないから、毎月の景気動向を把握できる月次のCI景気動向指数を補助的に使う意味は充分にあります。

緊急事態宣言による経済抑制策により戦後最悪のマイナス成長に転落

エコノ教授：表5-1を見ると、2018年第2~3四半期のマイナス成長は米中の貿易摩擦によるものであり、貿易摩擦不況と言えます。

2019年第4四半期と2020年第1四半期のマイナス成長は、2019年10月の10%への消費税増税によるものであり、消費税増税不況と言えます。実質GDPは年率で557・6兆円から544・2兆円に落ち込んだので、年率では13・4/2=6・7兆円の損失と推計されます。名目GDPでは年率で562・8兆円から553・1兆円に落ち込んだので、年率では9・7/2=4・8兆円の損失です。

2020年第2四半期から4四半期連続のマイナス成長はまさにコロナ不況であり、実質G

表5－1　実質 GDP、実質 GDP 成長率、名目 GDP、名目 GDP 成長率

	実質 GDP	実質成長率	名目 GDP	名目成長率
2018/ 1- 3.	555521.2	1.45496019	557,878.50	1.9524305
4- 6.	555548	1.22261987	557,381.20	1.322343
7- 9.	551803.3	－0.2453537	553,956.20	－0.529623
10-12.	554331.8	－0.2035062	555,648.80	－0.471554
2019/ 1- 3.	556279.1	0.13643044	559,399.00	0.2725504
4- 6.	556915.5	0.24615335	561,039.00	0.6562475
7- 9.	557623.7	1.05479616	562,778.70	1.5926349
10-12.	546999.5	－1.3227277	556,197.50	0.0987494
2020/ 1- 3.	544231.2	－2.1658013	553,126.40	－1.121311
4- 6.	500232.3	－10.178061	510,113.00	－9.077087
7- 9.	526697.2	－5.5461237	538,437.10	－4.325253
10-12.	541512.1	－1.0031819	551,576.20	－0.830874
2021/ 1- 3.	536089.7	－1.4959635	544,400.20	－1.577614
1995-2021 平均		0.65527867		0.4860719
2018-2021 平均		－1.3881353		－2.064727

出所：内閣府 GDP 統計から作成、網掛けはマイナス成長

DPは年率で544・2兆円から536・1兆円に落ち込んだので、8・1兆円の損失と推計されます。名目GDPでは553・1兆円から544・4兆円に落ちたので、8・7兆円の損失です。

経済活動の急激な抑制によって、急激で大幅なマイナス成長、不況となり、日本経済は大打撃を受けました。消費税増税不況は安倍内閣の責任であり、コロナ不況を深刻化させた責任は安倍内閣と菅内閣にあります。名目で8・7兆円、実質で8・1兆円の経済的損失を招いたことに対して、政府や専門家会議はどのような責任を取るのでしょうか？

2　コロナ不況からの回復政策とは

コロナ不況を戦後最悪の不況にした最大の原因は、第Ⅰ部で述べたように、危機管理政策の原則・鉄則に反した間違った政策を強行したことと言えます。繰り返しになりますが、新型コロナ禍のような重大な危機の管理政策では、Ⓐ危機に対して早めに速やかに対応するべきこと、Ⓑ大幅かつ急激に経済活動を抑制して大きなショックや大不況をもたらさないこと、Ⓒ急激に制限解除や緩和によるリバウンド効果よって感染者、重症者、死亡者を激増させないこと、が極めて重要な原則・鉄則です。

ところが現実には、日本ではこの原則・鉄則とは真逆の政策が行われ、新型コロナの感染者、重症者、死亡者が激増したのみならず、戦後最悪のマイナス成長をもたらしました。コロナ不況を克服し安定成長を達成するためには、政府による急激な引き締めや緩和の「Stop & Go政策」を廃止し、民間活力を活かすように、安定的な政策実施、安定的な財政・金融政策が必須となるでしょう。次章以降では、このコロナ不況の前段となった消費税増税不況の構造を解き明かし、コロナ不況から脱却する経済回復政策を探っていきます。

第６章　消費税増税による景気悪化とその回復政策とは

１　消費税増税がもたらすコストプッシュ・インフレ

消費税増税は景気を悪化させて物価を押し上げる

カムイ：教授、質問があります。２０１４年に５％から８％へ消費税増税をしてから、更に２０１９年に10％へ合計で５％も増税しましたが、この間、収入が５％も増えないから消費者負担が大きいですね。だから僕はできるだけ商品を選んで買い物をしています。合計５％の増税だから、節約をせざるを得ません。でも消費者がみんな節約・貯蓄をすると、反面で全体の消費需要が落ち込んで、景気が悪くなる危険性があるのではないでしょうか？

エコノ教授：そうですね、カムイの見方はなかなか鋭いです。

消費税が５％から８％に増税されると、１００円の商品は税込みで１０５円から１０８円に上がります。給料が変わらない限り、買える物は１０５／１０８＝97・２％に減って２・８ポイント落ち込みます。こうなると消費者には、できるだけ商品を選んでよい買い物をする誘因

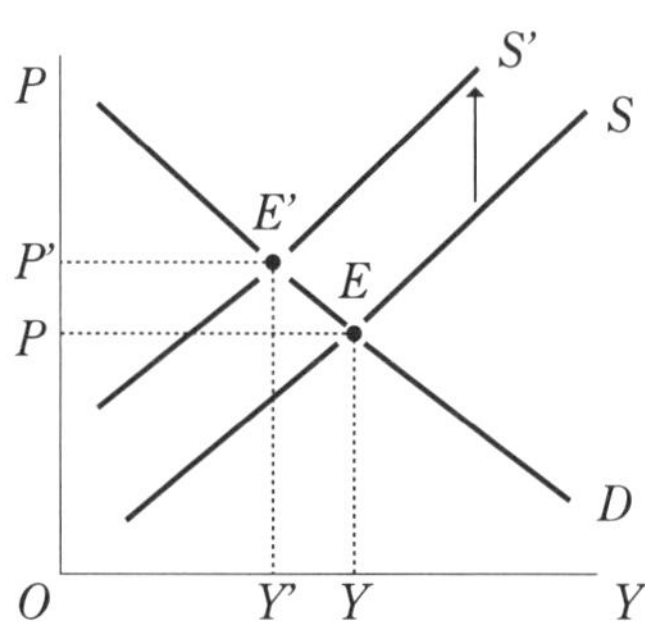

図6－1　消費税増税による景気後退と物価上昇＝コストプッシュ・インフレ

が働きます。更に10％へ再増税したため、１００円の商品は税込み１１０円に上がり、買える物は１０８／１１０＝98・２％に減って１・８ポイント落ち込む訳です。

次に比較静学（comparative statics）という経済理論から分析してみましょう。

消費税を５％から10％へ上げると、供給曲線Ｓはその分だけＳ'へ上方シフトします。すると需給均衡点はＥ点からＥ'へ移り、国民所得はＹからＹ'へ減って景気後退が起こります。他方で物価はＰからＰ'へ上がって、コストプッシュ（費用圧力）・インフレが起こるんですね。

この仕組みをインフレ理論で明らかにしたのが、フリッツ・マハルップ教授であり、その英語論文を翻訳したのが林直嗣教授です。

2　「ミクロでは貯蓄は美徳に、マクロでは消費は美徳となる」（ケインズ）

ミクロ経済とマクロ経済の違い

エコノ教授：ところで、ミクロとかマクロの英語の意味は知っていますか？

アナ：ミクロは microscopic の略で、小さいとか微視的という意味、マクロは macroscopic の略で大きいとか巨視的という意味でしょう。ミクロの節倹・貯蓄がマクロの景気後退をもたらすケースを、確かノーベル賞を受賞したアメリカのサミュエルソン教授は「合成の誤謬」と言ったと思います。

エコノ教授：さすがですね。個々の消費者の行動はミクロの経済と言って、「節倹・貯蓄は美徳」であると昔から考えられていた面があります。それに対し個々の経済を集計した一国全体の経済はマクロの経済と言いますが、ミクロにおける個々の節倹・貯蓄が全体の集計した消費を減らして、景気を悪くする場合があります。だから１９３０年代にマクロ経済学を創始したケインズは、「消費は美徳」と言って消費を奨励した訳です。このミクロとマクロの食い違いが、アナの言う通り、サミュエルソン教授が指摘した「合成の誤謬（fallacy of composition）」なんです。

3　消費税増税による消費抑制効果で消費性向・消費意欲は低下

消費税増税は消費性向・消費意欲を低下させる

エコノ教授：今度は統計分析をしてみましょう。図6-2を見てください。

実質GDPに比べて実質消費の変動・推移は安定しているので、ケインズが考案した実質消費性向（＝実質消費／実質国民所得）は景気が悪くなると高くなり、景気が良くなると低くなります。1994年以降の長期では、平均56％となる傾向があります。これはノーベル賞を受賞したサイモン・クズネッツ教授が発見した傾向法則です。

2008年9月のリーマンショック後の景気後退過程、2011年の東日本大震災後の後退過程では、実質消費性向は確かに理論通りに上がっています。ところが、2014年4月と2019年10月の消費税増税後、マイナス成長・景気後退過程で実質消費性向が下がっているのは、消費税増税によるGDP抑制効果よりも消費抑制効果がいかに大きかったかを示しています。実は1997年4月に消費税を3％から5％へ増税した時も、景気が悪化して消費税増税不況と金融不況をもたらしましたが、実質消費性向は57・4％から56・1％へ抑制されました。

カムイ：そこで僕は、所得に比べて消費をどれだけ節約しているかを見るために、実質消費／実質GDP＝実質消費性向という割合を計算してみました。増税直前の2014年1〜3月期

図6－2　実質 GDP、実質消費と実質消費性向

出所：内閣府 GDP 統計より作成

の年額の実質GDPは536・11兆円でしたが、前年同期比で3四半期マイナス成長の結果、2014年10~12月期のそれは529・39兆円だから、98・7%に1・3ポイント減ったことが分かります。

実質消費は310・63兆円から298・46兆円へ更に落ち込み、96%に減って4ポイントも落ち込みました。だから実質消費性向は57・9%から56・3%に落ち込んで、節約が進んでいることが分かります。

消費税増税で消費増加率も経済成長率も低下

エコノ教授：カムイは理論通りよく調べてくれました。

この消費税増税の悪影響で、実質消費性向がトレンドとして下がり続け、2019年10月の消費税再増税によって2四半期連続のマイナス成長と

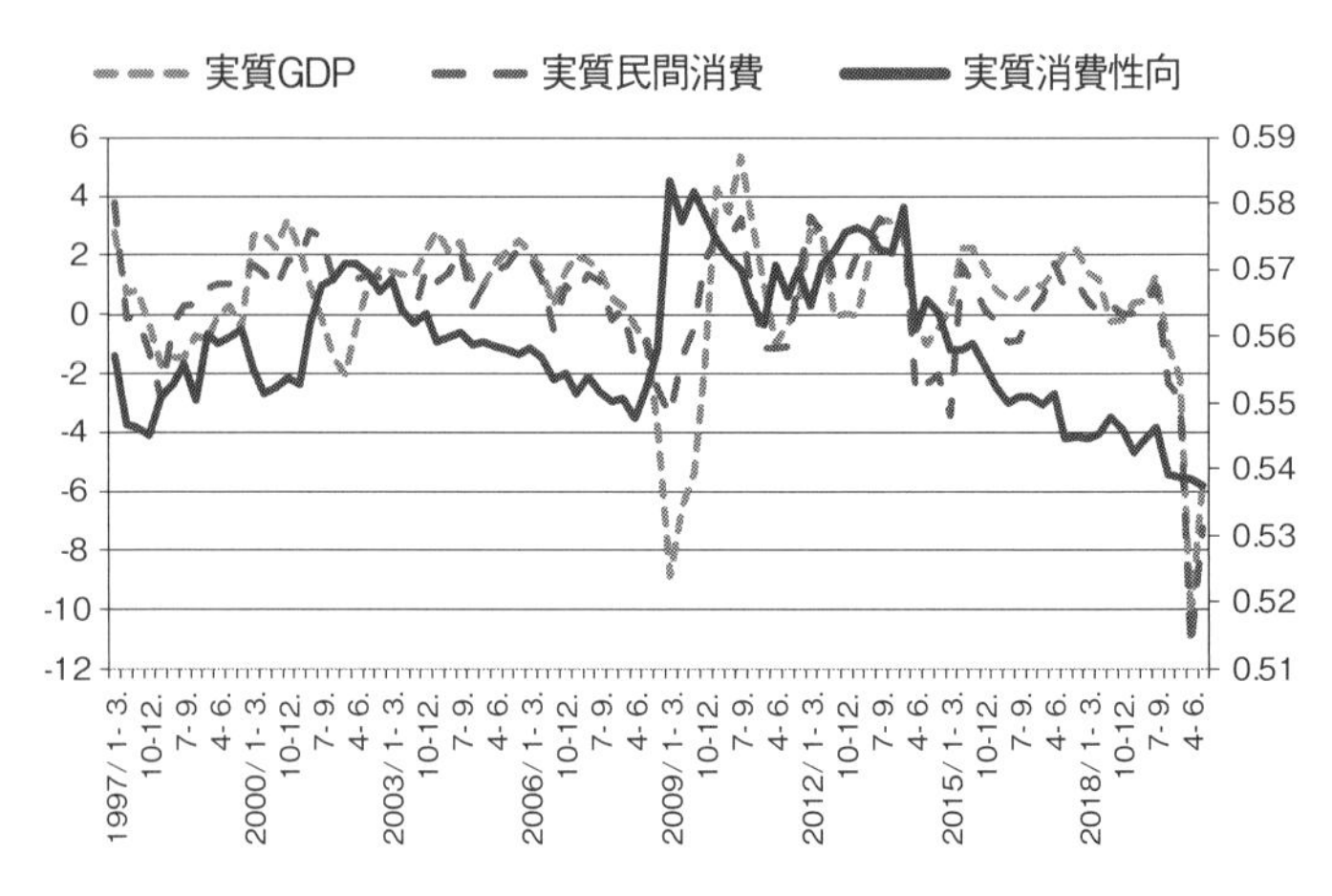

図６－３　実質 GDP 成長率、実質消費増加率と実質消費性向

出所：内閣府 GDP 統計より作成

なり、２０２０年１～３月期には実質消費性向＝２９４・07兆円／５４５・72兆円＝53・９％へ更に悪化していることが明確に分かります。その後に新型コロナ禍の悪影響が加わり、通計６四半期連続でマイナス成長となり、２０２０年４～６月期と７～９月期には、実質消費増加率は△11・３％、７・２％も落ち込み、同様に実質ＧＤＰ成長率も△10・３％、５・７％も落ち込んだ訳です。

これは１９９４年以降の統計では最悪であり、リーマンショックより激しい落ち込みです。２０１４年の消費税増税以降、実質消費性向が傾下傾向となり、消費減退→売上・利益低下→投資減退→給与低迷→消費減退の悪循環により実質成長率が「低下」しています。

4　消費税再増税と新型コロナ禍の複合的悪影響でデフレ脱却できず

消費税増税で実質消費も実質国民所得もマイナス成長へ

アナ：私も国全体のマクロ統計を調べてみました。

年額の実質消費は増税直前の2014年1～3月期では310・6兆円であり、消費増税をした2014年4月から3四半期マイナス成長が続いた後の2014年10～12月期では298・46兆円だから、298・46／310・6＝96・1％に減って3・9ポイント落ち込んでいます。まさにカムイの言う通り、名目の消費税増税が2・8ポイント減なのに、マクロの実質消費は3四半期で3・9ポイントも落ち込んだことは、実質消費への悪影響が大きかったと言えます。

年額の実質消費は再増税直前の2019年7～9月期では305・43兆円であり、消費増税をした2019年10月から3四半期マイナス成長が続いた後の2020年4～6月期では269・59兆円だから、269・59／305・43＝88・3％に減って、実に11・7ポイントも大幅に落ち込んでいます。名目の消費税増税が1・8ポイント減なのに、マクロの実質消費は3四半期で11・7ポイントも大幅に激減したことは、実質消費への悪影響が今回の消費税増税の方が非常に大きかったと言えますね。

実は２０２０年４月に新型コロナの非常事態宣言が発出してからの四半期だけで、実質民間消費が△11・３％、実質ＧＤＰが△10・３％となっており、この大きな落ち込みには、新型コロナ禍の悪影響が追い打ちしていると言えます。

マイナス成長になったが物価は上がったコストプッシュ・インフレ

エコノ教授：実は安倍内閣通算の実質成長率は０・34％に過ぎず、小泉内閣の１・23％、民主党内閣の１・26％よりはるかに悪いです。実質消費増加率は２回の増税で△０・４％と悪化し、平均消費性向は民主党政権の０・57と比べ０・55へ落ち込みました。ただしＧＤＰデフレーターで見た総合的な物価上昇率は０・69％と上がったので、まさにコストプッシュ・インフレの悪い形態であり、デフレ脱却ではないと言えます。デフレーション（deflation、収縮）とは総需要が収縮して景気が悪化し、かつ物価下落が起こることと定義されるから、デフレ脱却とは総需要が増えて景気が回復し、かつ物価上昇が起こることと定義されるんですね。

カムイ：マハルップ教授のコストプッシュ・インフレの理論に基づけば、２０１４年４月の消費税増税後１年間では、実質消費増加率が△２・６％と大幅に落ち込み、実質成長率も△０・４％と景気後退となりましたが、物価上昇率は２・５％とほぼ消費増税分だけ上がったのは、まさに増税によるコストプッシュ・インフレと言えます。２０１９年10月の消費税再増税後１年間では、実質消費増加率が△５・９％と激しく落ち込み、実質成長率も△４・８％と景気後

表6－1　消費増税後の成長率、消費増加率、物価上昇率の平均

	期間	実質成長率	実質消費増加率	平均消費性向	物価上昇率
安倍内閣	2013 Ⅰ－2020 Ⅲ	0.336913	-0.40826	0.553731	0.687637
8％消費増税不況	2014 Ⅱ－2015 Ⅰ	-0.3546	-2.61962	0.562135	2.476019
10％消費増税不況	2019 Ⅳ－2020 Ⅲ	-4.79651	-5.89781	0.538552	1.269707

出所：内閣府GDP統計より作成

退となったが、物価上昇率は1・3％とほぼ消費増税分だけ上がったのも、やはり増税によるコストプッシュ・インフレであった訳ですね。景気後退（stagnation）とインフレ（inflation）が共存するので、コストプッシュ・インフレはスタグフレーション（stagflation）とも呼ばれています。

消費税増税は実質経済成長率を下げてきた

エコノ教授：日本では所得税のような直接税に対して、個別の物品に商品出荷時に課税する間接税として1940年に物品税が導入されました。低所得層でも購入する生活必需品には課税を差し控え、高所得層が購入する贅沢品には担税力があると認めて課税するという考え方が基本にありました。よって累進税の仕組みが設定されており、累進所得税と共通の課税趣旨がありました。

ところが欧州などで導入されてきた消費税は、低所得層や高所得層、生活必需品や贅沢品を問わず、消費財に対して一律の税率で課税するものです。するとエンゲルの法則で知られるように、飲食費など生活必需品の支出が消費支出に占める割合が低所得層

表6－2　消費税増税と実質経済成長率

消費税率	期間	平均実質成長率
物品税	1981/1－3. ～ 1989/1－3.	3.875757576
3%	1989/4－6. ～ 1997/1－3.	2.634050845
5%	1997/4－6. ～ 2014/1－3.	0.684132378
8%	2014/4－6. ～ 2019/7－9.	0.823947429
10%	2019/10－12. ～ 2021/4－6.	-1.92352369

出所：内閣府 GDP 統計より作成

ほど高くなり、高所得層ほどそれが低くなるので、消費税率の一律課税により実効税率は低所得層ほど重くなり、高所得層ほど軽くなる傾向があります。これが消費税の逆進性であり、平均所得以下の低所得層ほど不利になるので、総消費を減退させ、平均消費性向を低めて、経済成長率を低める効果を持ちます。ただし生活必需品に軽減税率を設ける場合には、この逆進性がやや軽減されます。

消費税は消費財を生産・流通する各段階で生じる付加価値に対して課税するので、付加価値税（Value Added Tax; VAT）と呼ばれています。所得も生産・流通の各段階で発生する付加価値であるので、それに累進的な所得税を課税して、さらに消費税で逆進的に課税すると、低所得層も高所得層も一律に課税するフラット化の総合効果が出てきます。

日本では竹下内閣の時、１９８９年4月1日より従来の物品税に代わって、消費税が3％で導入されました。その結果、平均実質成長率は表6－2のように、物品税の時代は３・９％、消費税３％の時代は２・６％、消費税５％の時代は０・７％、消費税8%の時代は0・8%、消費税10%の時代は△1・9%と、トレンドとして下がってきました。民間消費はGDPの55~56%と最大の割合を占めるので、これを減退させる消費税増税は、平均消費性向を低め、実質経済成長率を低める効果を持つことが実証的にも確認できます。経済成長率を決める要因には消費以外にもありますが、過半を占める消費が大勢を左右します。

消費税増税により一時的には若干の消費税収増加がありますが、消費が減退して実質経済成長率や名目成長率が低下すれば、法人所得税収や個人所得税収など所得税収が減少し、税収全体としては減収となるので、財政赤字が更に悪化する悪循環に陥りやすくなります。よって目先の消費税収増加にこだわって消費税増税をすると、結局は経済成長率を引き下げ、ゼロ成長やマイナス成長など不況を深刻化させ、総税収を下げて、財政赤字を更に悪化させることになるでしょう。

国民年金を消費税負担方式へ移すと、ますます破綻する

国民年金は20~60歳の加入期間に保険料を積み立てて、40年間の運用収益と共に、退職後に年金として受領できる仕組みとしてスタートしました。自分で積み立てて、その金額を運用して得られる運用益の合計の範囲内で自分の老後の年金を受け取るので、他人のお金を搾取することも逆に搾取されることもない公正な仕組みであり、財政赤字も財政破綻もありません。イ

ンフレによる目減りやデフレによる含み益は、物価スライド制で調整すれば公正を維持できます。

ところがその原理原則に反して、選挙での得票を増やすため、年金受給額を積立方式の範囲を上回って支給するようになりました。当然将来支払のための積立金は不足額が増加し、年金財政の赤字が増え、年金破綻が懸念されたので、政府は現役世代の積立金から退役世代の受給不足額を補填する仕組み、すなわち賦課方式を場当たり的に導入しました。政府は社会的相互扶助の原理に基づく方式変更だと説明しましたが、実体は相互扶助では全くなく、退役世代による現役世代の一方的な搾取であり、その仕組みは違法なネズミ講と同じです。現役世代はばかばかしいと思い、保険料未納が4割にも達しました。国民による国民年金不信の表れです。

しかも少子高齢化時代が進むにつれて人口構造は釣り鐘型に移行し、釣り鐘の頭部分が相対的に肥大化するので、退役世代は増えて現役世代は減っていきます。より多くの退役世代をより少ない現役世代で支えなければならず、必ず年金財政の破綻をもたらします。賦課方式は、人口構造の変化を何も理解できない愚策となります。

これを続けると、退役世代の受給総額は膨らみ、現役世代の保険料支払総額は減少し、現役世代の老後の受給のための総積立金はますます減少し、年金赤字も増えて、年金財政は必ず破綻します。そこで次には、年金支払財源として場当たり的に国税を充当する方式を導入し、そのために場当たり的に消費税を増税することになりました。しかし消費税増税は、ＧＤＰの

55％を占める民間消費を抑圧し、前記で分析したように経済成長率を低下させます。所得税収を減少させて税収全体を減少させ、財政赤字をますます累積する悪循環効果を持ちます。

こうした熟慮を欠いた場当たり的制度変更をずるずると行ってきたため、かつて世界一の高度経済成長を誇った日本経済は、Ｇ７でも最低に転落しました。民間年金と同様に、国民年金を財政破綻から救い、公正で健全な制度に回復させるためには、積立方式に戻す、賦課方式を廃止する、消費税による補填を廃止する、消費税増税を止めて減税をする（アメリカの消費税率は０％）ことが必要です。経済成長率を「可能な限り」高度成長に戻し、社会的弱者には生活保護などの社会保障で対応する、という政策が賢明な選択となるでしょう。国民年金保険や厚生年金保険は、損害保険や生命保険と同じように、各人のリスクに対応した保険という原理・仕組みであり、憲法第25条で保障する一律最低限度の救済である生活保護とは原理も仕組みも異なることを理解する必要があります。閣僚の一部でもこれらの原理・仕組みの違いを理解できずに、混同混乱しているのです。

消費を回復し経済成長率を高めるには、消費税減税などの成長戦略が必要

エコノ教授：カムイの言う通り、コストプッシュ・インフレという判定が非常に正確であり重要です。消費税増税は、２０１４年の時には3四半期連続のマイナス成長をもたらし消費税増税不況を招きました。２０１９年の時にはコロナ禍もあって６四半期連続のマイナス成長をも

たらしました。しかも前回は2・5％、今回は1・3％の物価上昇をもたらしたので、典型的なコストプッシュ・インフレの悪影響が現われています。ここに新型コロナ禍の悪影響が追加されたので、実質で△10・2％、名目で△9・1％という戦後最悪のマイナス成長、大不況がもたらされました。

1995〜2021年の平均では、実質GDP成長率が0・66％、名目GDP成長率が0・49％であったのに対して、2018〜2021年の平均ではそれぞれ△1・39％、△2・06％とマイナス成長に落ち込んでいます。1997年4月の5％への消費税増税の時にも、名目成長率は5四半期連続のマイナス成長となり、実質成長率はリーマンショックの影響も加わって7四半期連続のマイナス成長となり、消費税増税不況・リーマンショック不況となりました。

平均ではゼロ％台成長、最近はマイナス成長であっても、景気回復期には3〜5％の実質成長率を達成できているので、資本と労働をフル稼働した時の潜在成長率は、3〜5％は可能と推定できます。

そこでまずはこうした実質消費の激減を回復させるために、消費税率を10％から5％に戻す思い切った改善策が必要となるでしょう。一律1人10万円の特別給付金だけでは全然足りません。平均実質消費性向はアメリカが約0・8と高いのに対して、日本では0・56と国際的にも低いので、消費税増税の実質消費への悪影響がもろに出て、0・54まで落ち込んだ訳です。

アメリカでは州ごとの地方税としての売上税はありますが、日本の地方税率10％より低いです。また国税としての消費税はなく、消費税率は0％であり、所得税中心主義を採用していま す。すると消費が堅調に伸びていけば、企業の売上や利益が改善し、給料も上がります。法人所得税収や個人所得税収が増えて財政赤字が改善し、消費支出（消費需要）が更に増えて、経済成長を促進するという構造となります。所得税は累進税であるので、経済成長をすればするほど所得税収が早く増加して、財政赤字を減少させます。

消費税率は一律であるためこうした累進効果はなく、消費税増税による消費税増収効果は一時的に留まり、財政赤字もあまり減らせません。消費税収増加より所得税収減少の方が大きければ、財政赤字は更に増えます。逆に累進税では、経済成長率が下がると税率が下がるので、消費や投資の落ち込みを防ぎます。これを累進税の自動安定装置といいます。

日本でも消費税導入前の高度経済成長時代は、こうした好循環が非常に上手く機能しましたが、とりわけ1990年のバブル崩壊以降長期デフレ不況に陥り、こうした好循環が作用しなくなりました。景気回復期に一時的に3～5％の実質成長率を記録することはあっても、マイナス成長への落ち込みがしばしばあるので、1995年からの平均実質成長率は0・66％に過ぎず、2018年からは△1・39％とマイナス成長です。名目成長率はもっとひどく、1995年からの平均では0・49％、2018年からの平均では△2・07％に過ぎません。消費税増税により一時的にコストプッシュ・インフレになっても、平均するとデフレ不況から回復はしていないといえます。

所得税は累進的ですが、消費税は逆進的であり、平均以下の所得層の実効税率を高める効果があり、国民全体の消費性向を弱めて、成長率を低くする作用を及ぼします。その程度は国により異なりますが、導入後の実績を見ると日本はアメリカと同様に消費税に馴染まない国柄であり、消費税率を高めると、消費が減退し、企業の売上や利益が減少し、給与も増えず、経済成長率を低下させ、よって消費も増えないという悪循環が生じています。

これらを踏まえると、消費税減税により消費支出を回復し、売上や利益や投資を増大させ、所得税収を増やして、給与を高めて消費を更に増やすという好循環を回復することが、非常に重要な成長戦略となります。主導産業となるＩＴ産業などを積極的に振興させる産業政策も必要であり、マクロの成長戦略と個別産業の振興政策とを適宜組み合わせた成長政策を積極的に推進するべきでしょう。

第7章　新型コロナ禍で悪化した企業業績とその回復対策とは

1　実質成長率は6四半期連続でマイナス成長の不況に突入

消費税増税とコロナ禍で7四半期連続の減収減益へ

エコノ教授：新型コロナ禍で企業業績がどれだけ悪化したか、アナには2020年3月期と6月期の企業業績について全般的な特徴を調べてもらいましょう。またカムイには業種別の業績を分析してもらいましょう。

アナ：分かりました。

2019年10月の10%への消費税増税で、（季節調整済み）実質GDPは10～12月期は△1%、2020年1～3月期は△2%と連続してマイナス成長となり、新型コロナ禍の影響が加わって、4～6月期は実に△10・3%、7～9月期は△5・7%、次の2四半期を含めて既に6四半期（1年半）連続のマイナス成長となりました。これはリーマンショックを上回る下落率の景気後退・大不況であり、戦後最悪の転落と言えます。

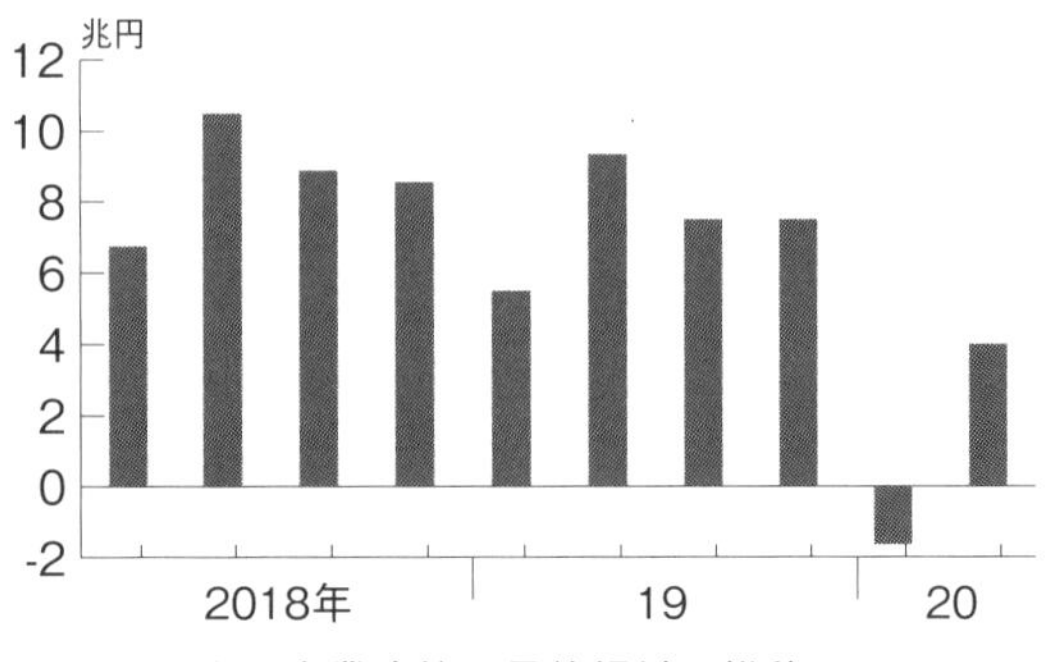

図７－１　上場企業決算の最終損益の推移

出典：日本経済新聞 2020 年 8 月 17 日

そこで日本経済新聞の上場企業の２０２０年１〜３月期決算の集計結果を調べたところ、上場企業の最終損益の合計額は１兆４０００億円の赤字で、前年同期は５兆５０００億円の黒字であったから、約１２５％の落ち込みとなりました。リーマンショック後の２００９年１〜３月期では最終損益が約４兆円の赤字となりましたが、それに次ぐ落ち込みと言えます。２０２０年３月期通期の純利益では23兆１０００億円であり、前期比で31％の減額で、２期連続で最終減益となりました。減益幅は東日本大震災後の２０１２年３月期が23％であったから、それよりも大きいです。

しかし予想に反して４〜６月期決算では、最終損益の合計額は４兆５７６億円の黒字に回復しました。とはいえ前年同期と比べると、７四半期連続で下回っており、不況の深刻さを表しています。通期では純利益が10兆８０００億円と、前期比で約30％減益となりました。やはり新型コロナ禍の影響が大きく出ています。

2　多くの業種で減収減益、赤字転落

多くの業種で減収減益、赤字転落

カムイ：アナが企業業績全般を調べてくれましたから、ぼくは業種別の業績を調べてみました。日本経済新聞によれば、自動車産業の1～3月期の最終損益が7376億円の赤字で、4～6月期も6406億円の赤字であり、悪化が著しかったです。特に日産自動車が販売台数の大幅減少や構造改革で最終赤字が膨らみました。

通信業では1～3月期は1兆2282億円の赤字であり、特にソフトバンクグループでは「ビジョンファンド」の運用損失が大きく、企業別では最大の1兆4381億円の赤字を出したことが響きました。しかし翌4～6月期には1兆7379億円の大幅黒字を回復していますが、これはソフトバンクグループの資産運用益が大幅に回復したためと言えます。

電気機器産業では1～3月期は最終損益が4590億円の減益となりましたが、4～6月期には6313億円にやや回復しています。ソニーが新型コロナの影響でテレビなどのエレクトロニクス事業を中心に需要が急減しました。パナソニックは自動車産業の業績悪化を受けて、自動車関連の部品生産などが振るいませんでした。

資源輸入価格の低下が続いて、ＪＸＴＧホールディングス（新日本石油と新日鉱ホールディ

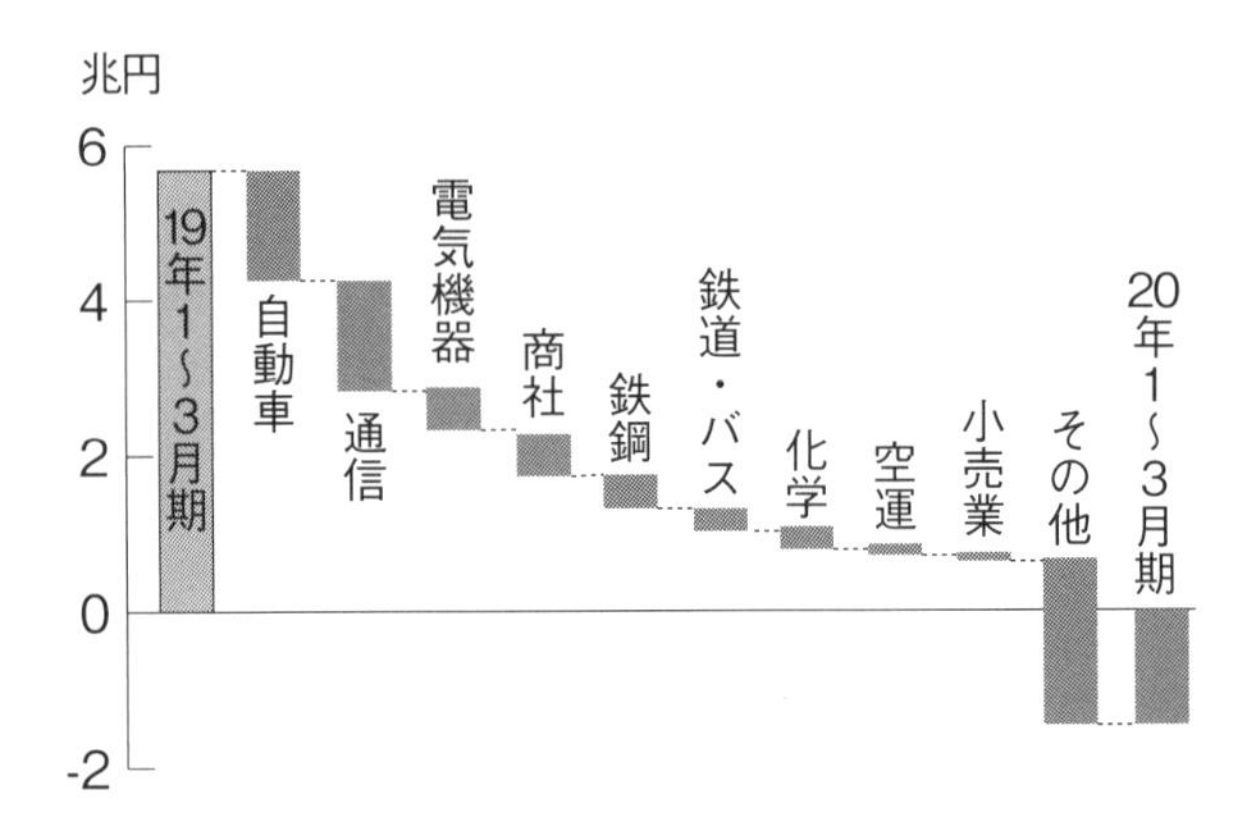

図７－２　2020 年３月期業種別の業績

出典：日本経済新聞、2020 年 6 月 8 日

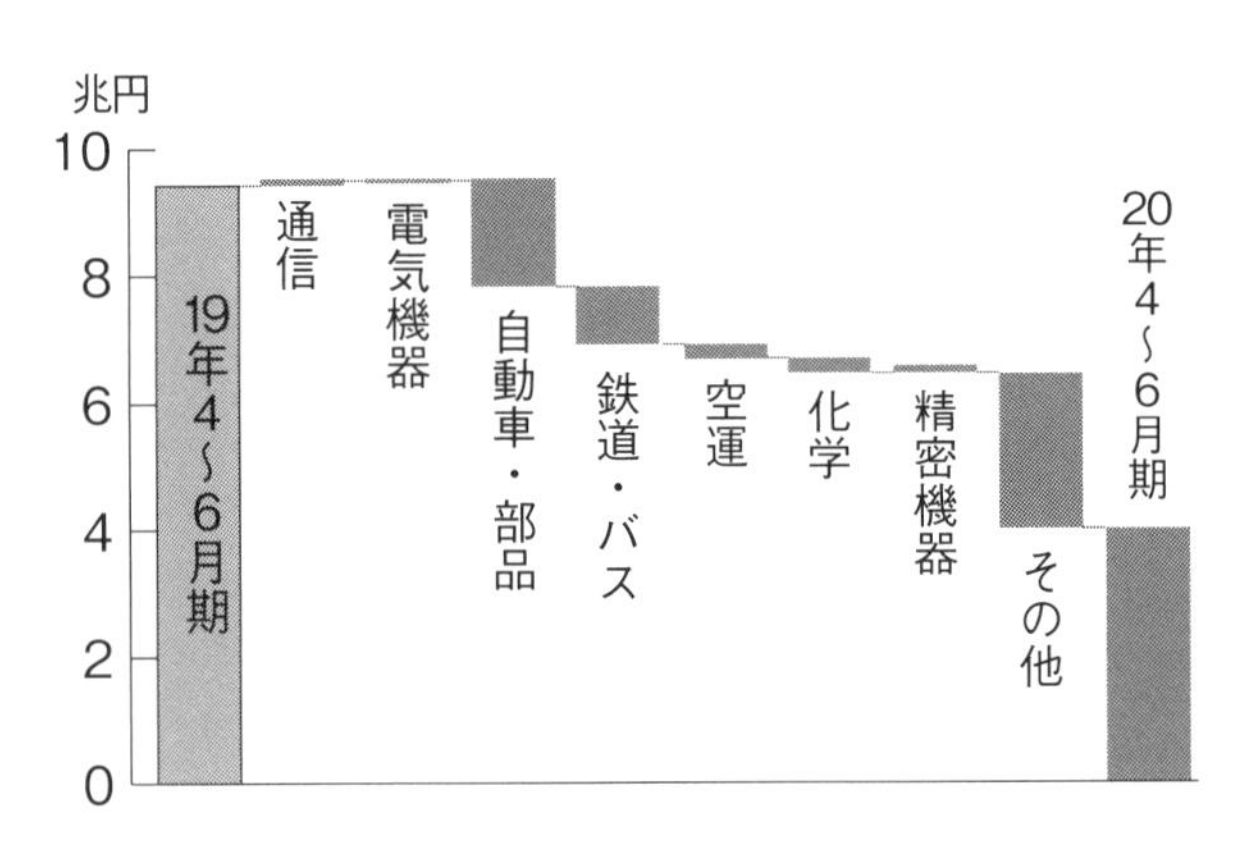

図７－３　2020 年６月期業種別の業績

出典：日本経済新聞、2020 年 8 月 17 日

ングスが経営統合）など石油元売り業種も収益環境が悪化しました。そのため商社では、1～3月期の最終損益はわずか381億円と94％の減益となり、4～6月期は3122億円と60％の減益となりました。

新型コロナの影響で外出自粛やインバウンド（訪日外国人）、海外旅行などが急減したため、鉄道・バス業種では、1～3月期に1371億円の赤字を出し、4～6月期には5012億円の赤字と更に悪化しました。JR東日本など鉄道各社、日本航空や全日空など航空各社が顕著な業績悪化に見舞われました。

新型コロナの影響で経済活動全体が自粛され、交通利用者が激減したために、電力消費量も急減して、電力産業は3499億円の赤字に転落しました。しかし4～6月期には2004億円の黒字に回復しました。

3　消費税増税と新型コロナ禍のマクロ経済への悪影響と企業業績悪化は相乗関係

近年の景気後退、不況

エコノ教授：企業業績についての全般的な特徴、そして業種別の業績分析について、よくわかりました。

マクロの実質GDP統計では、2014年4月の消費税増税では4～6月期は△0・2％、

7～9月期は△1％、10～12月期は△0・5％と3四半期連続のマイナス成長で景気後退しました。2018年の米中貿易摩擦では、7～9月期は△0・2％、10～12月期は△0・2％と2四半期連続のマイナス成長で景気後退しました。

2019年10月の消費税再増税と新型コロナ禍では、10～12月期は△1％、2020年1～3月期は△2％、4～6月期は△10・3％、7～9月期は△5・7％と、既に4四半期連続のマイナス成長で、リーマンショックを上回る下落率の景気後退・不況となっています。それに対応して企業業績は、4～6月期や7～9月期も改善は難しいと見られます。

物価が上昇してもデフレ脱却とは言えない

これまで見てきたように、2019年10月の消費税再増税後1年間は、増税によるコストプッシュ・インフレの状態と言えます。そこに2020年4～6月期からは新型コロナ禍の影響が急増しています。

だから、景気が停滞ないし悪化して物価が上がったからデフレ脱却だという判断は、経済学では間違いと言えます。デフレ脱却と言うためには、景気が改善し、かつ物価上昇が持続的に起こる必要があります。アベノミクスで物価上昇率がプラスに転じたからデフレ脱却であるという誤解は、コストプッシュ・インフレの経済理論を理解できていない間違った認識です。

緊急事態宣言による生産や消費の萎縮

日本では２０２０年４月に最初の緊急事態宣言が発出され、不要不急の外出を自粛する要請が出されて、飲食店や販売店では営業時間を短縮する自粛を余儀なくされました。４〜６月期には小売業は59・６％の減益となりました。消費税増税で消費が大幅に萎縮した上に、緊急事態宣言により更に消費は大幅に落ち込んだ訳です。

小・中・高の学校、大学、専門学校などは登校禁止となり、代わってオンライン授業やビデオオンデマンド授業の代替措置をとりました。企業では物的生産などに携わるブルーカラーは出社せざるを得ませんが、経理や人事などのホワイトカラーは出社を自粛し、パソコンや電話などＩＣＴ（Information and Communication Technology、情報通信技術）を使ったオンラインワーク、テレワークの在宅勤務にかなりが切り替わっています。

こうしてモノやサービスの生産が大幅に低下しましたが、消費はそれ以上に萎縮して、飲食、小売、サービス、金融、不動産、鉄道や航空などの運輸、ホテルや観光など、第３次産業の売上や利益が減少しました。第２次産業の製造業でも、自動車、電気機器、機械、化学、繊維、食品などほとんどの産業で減収減益となり、赤字に転落する業種も多くでてきました。

コロナ不況でも業績改善した日本企業

ところが企業別で見ると、新型コロナ禍の中で経営努力を重ねて、業績が改善した企業もあります。カムイにそうした企業について報告してもらいましょうか。

カムイ：東京商工リサーチの2021年1月の調査によれば、新型コロナ感染拡大のなか、2020年に売上高や利益を上方修正した上場企業が551社あります。10月以降、経済活動の再開や「Go To キャンペーン」などの消費刺激を受け、コロナ禍のなかで業績回復の見通しが立ってきた訳です。

上方修正した企業を業種別でみると、消費・生活様式の変化で需要が伸びたため、食品、衛生用品、家電製品など家庭内消費関連の伸びが大きかったそうです。また、外出・外食を避けて巣ごもり需要が伸びたため、食品スーパーやホームセンターなどの小売業が好調でした。テレワーク需要やEC販売の伸長などオンライン関連の業績向上が寄与したために、情報・通信業も好調でした。

上方修正を要因別で見ると、出張自粛やテレワークの浸透などで「経費減少」した企業が289社（構成比44・1％）で最多でした。よってこうした新しい仕事の在り方が「ニューノーマル（新常態）」として定着する可能性があるでしょう。次いで、「巣ごもり消費増加」が163社、「内食需要増加」が105社、「テレワーク需要の高まり」が85社の順です。よって、コロナ禍で人々の消費様式や生活様式の変化の波を上手く捉えた企業が、業績改善したと言えます。

売上高の上方修正額が最も大きかったのは、総合スーパーなどを経営するイオン㈱（東証1

部、2021年2月期通期）であり、「在宅時間の増加による食料品等の生活必需品、感染症対策のための衛生用品等の需要拡大に対応し、GMS（総合スーパー）事業の食品部門やSM（スーパーマーケット）事業、ヘルス&ウエルネス事業において売上を大きく伸長」し、売上高を5000億円上方修正しました。次いで2位は、大和ハウス工業㈱（東証1部、2021年3月期通期）の3500億円で、理由は「巣ごもり消費の拡大による物流施設開発へのニーズの高まり」などです。3位は、巣ごもりでゲーム機販売が伸びた任天堂㈱（東証1部、2021年3月期通期）、4位はTDK㈱（東証1部、2021年3月期通期）と続きました。

コロナ不況でも業績改善した世界の企業と業績悪化した企業

エコノ教授：カムイどうもありがとう。ではコロナ禍の中でも、世界の企業で業績が伸びたのはどこか、アナに報告してもらいましょう。

アナ：日本経済新聞が集計した世界の企業の2020年4～6月期決算では、増収額のトップはネット通販のアマゾンでした。売上高は前年同期比で2兆5908億円（37％）増の9兆5603億円で、純利益は約2倍の5637億円に増えたそうです。コロナの外出規制による旺盛な通販需要を取り込み、在宅勤務の拡大でクラウドサービス「アマゾン・ウェブ・サービス（AWS）」の売上も3割伸びました。従業員の感染対策費用として約4000億円を手当てし、ジェフ・ベゾス最高経営責任者（CEO）は「従業員の安全を確保しながら、需要が高まった

表7－1　売上高増加額と減少額の上位企業

4～6月期の売上高増加額の世界上位		
順位	企業名（本拠地、業種）	増収額（億円）
1	アマゾン・ドット・コム（米、ネット通販）	25,908
2	センティーン（米、医療サービス）	9,620
3	ドイツテレコム（独、通信）	7,732
4	Tモバイル US（米、通信）	6,932
5	エーオン（独、電力）	6,899
6	アップル（米、電子機器）	4,813
7	ブリストル・マイヤーズスクイブ（米、製薬）	3,995
8	マイクロソフト（米、ソフトウエア）	3,937
9	アンセム（米、医療サービス）	3,454
10	厦門象嶼（中国、物流）	3,275
11	騰訊控股（テンセント、中国、ネットサービス）	3,120
12	インテル（米、半導体）	3,070
13	ヒューマナ（米、医療サービス）	2,704
14	レイセオン・テクノロジーズ（米、機械）	2,677
15	台湾積体電路製造（TSMC、台湾、半導体）	2,666
16	緑地控股（中国、不動産）	2,473
17	アホールド・デレーズ（蘭、小売り）	2,469
18	アッヴィ（米、製薬）	2,135
19	UPS（米、物流）	2,126
20	ファイサーブ（米、金融システム）	2,063
21	ウェイフェア（米、家具通販）	2,052
22	任天堂（日本、ゲーム）	1,859
23	天山アルミニウム（中国、アルミ）	1,652
24	ロッキード・マーチン（米、防衛）	1,582
25	ヴェスタス（デンマーク、風力発電機）	1,573
26	フェイスブック（米、交流サイト）	1,531
27	SKハイニックス（韓国、半導体）	1,506
28	アイカーン・エンタープライズ（米、複合）	1,493
29	牧原食品（中国、養豚）	1,303
30	恒力石化（中国、化学品）	1,264

4～6月期の売上高減少額の世界上位		
順位	企業名（本拠地、業種）	減少額（億円）
1	ロイヤル・ダッチ・シェル（英蘭、石油）	▲65,023
2	サウジアラムコ（サウジアラビア、石油）	▲54,569
3	BP（英、石油）	▲45,827
4	エクソンモービル（米、石油）	▲39,175
5	フォルクスワーゲン（独、車）	▲31,872
6	トヨタ自動車（日、車）	▲31,204
7	トタル（仏、石油）	▲26,502
8	シェブロン（米、石油）	▲22,576
9	フォード・モーター（米、車）	▲21,879
10	ゼネラル・モーターズ（米、車）	▲21,597
11	マラソン・ペトロリアム（米、石油）	▲20,690
12	バレロ・エナジー（米、石油）	▲20,649
13	フィアット・クライスラー・オートモービルズ（欧米、車）	▲19,166
14	ホンダ（日、車）	▲18,724
15	フィリップス66（米、石油）	▲18,663
16	ダイムラー（独、車）	▲16,936
17	エニ（イタリア、石油）	▲13,117
18	エアバス（欧州、航空機）	▲12,775
19	三菱商事（日、商社）	▲12,738
20	リライアンス・インダストリーズ（印、複合）	▲12,456

出典：日本経済新聞2020年8月18日。金融や決算期変更は除く

時期に商品を届けた」と分析しています。しかも従業員には総額５００億円規模の臨時ボーナスを支払うというから、「禍転じて福となす」ですね。

マイクロソフトやプラットフォーマーのグーグル、アマゾン、フェイスブック、アップル（ＧＡＦＡ）のうち、アマゾンに次いでマイクロソフト、アップル、フェイスブックも１割の増収となりましたが、グーグルは広告料の大幅減収が響いて上場後初の減収になりました。

医療、通信、半導体、物流、不動産などでも、特色ある企業は増収を図っています。日本ではゲーム機の任天堂が22位、半導体の東京エレクトロンが36位に入っています。

他方で、明暗が分かれて大幅減収となったのは、ロイヤル・ダッチ・シェルなどの石油、フォルクスワーゲンやトヨタなどの自動車、エアバスなどの航空機、三菱商事などの商社です。

「禍転じて福となす」回復対策とは

エコノ教授：アナの言う通り「禍転じて福となす」を実践できた企業が伸びているので、各企業ともいかにコストを削減し販売を伸ばすか、を分析して柔軟な対応やインターネットやＩＣＴを活用した多角化をすれば、増収増益の可能性はあります。日本では新型コロナの感染拡大が２０２０年の冬には猛烈な第３波に拡大し、その後も２０２１年には第４波、夏には感染者数が１日２万６０００人にも上る超大型の第５波と拡大しているので、終息の見通しが読みにくく、対応は簡単ではありませんが、各企業の対応努力が望まれます。

企業の実態調査でも明らかになったように、業績の上方修正要因を分析すると、ＩＣＴを活用して出張自粛やテレワークの浸透などで「経費減少」を図ることが非常に重要な対策と言えます。またテレワーク需要やＥＣ販売などオンライン利用やテイクアウトの需要にも、十分に対応する必要があるでしょう。世界で最も販売額を伸ばしたのがネット販売のアマゾンで37％の増加であり、利益は実に2倍にも伸びています。コロナ禍では家庭内需要や「巣ごもり消費」の増加を背景に、情報通信、食品、衛生用品、家電製品、ゲーム機、ホームセンターなどの需要動向に対応した供給体制を迅速に構築することが重要と言えます。

それと共に企業の活動環境を整えることが重要であり、政府や自治体が、Ⓐ危機には速やかに対応し、Ⓑ単に急激な活動自粛や急激な解除をいたずらに繰り返す「Stop & Go 政策」を廃止して、Ⓒニューヨーク州やスウェーデンのように漸進主義的かつ段階的に持続的な行動規制を講じる方法に切り替えるべきでしょう。その上で、①検査体制や患者を受け入れて治療する医療体制を速やかに強化拡充すると共に、②ビタミンＤの免疫強化機能を重視して抗体やキラーＴ細胞などの免疫力を強める医療対策を積極的に推進し、③カテキンやワクチンのようにコロナウイルスを不活化する医療対策にも充分な財政資金を投入し、集団免疫体制を確立する努力を早急に進めるべきでしょう。

第8章　新型コロナ禍で変化した働き方とその改善対策とは

1　新型コロナ禍により会社での働き方や学校での授業が変わってきた

会社での働き方はどう変わったか

エコノ教授：新型コロナ感染症が拡大するにつれて、２０２０年4月7日には1回目の緊急事態宣言が発出されましたが、企業業績が急激に悪化すると共に、会社での働き方や学校での授業の在り方にも大きな影響が及びました。新型コロナ感染症の拡大による社会的・経済的な悪影響を「新型コロナ禍」と呼んでいます。そこで会社での働き方の変化についてはカムイに、学校での授業形態の変化についてはアナに報告してもらいましょう。

カムイ：新型コロナウイルスの感染拡大を防ぐために、密閉・密集・密接の「3密」を避けて「ソーシャル・ディスタンス」を保つことが推奨されるようになりました。満員電車には乗らない、電車の窓は5～10㎝開けて換気を良くする、電車では間隔を空けて座る、マスクをして不要なお喋りをしない、などがルール化されてきました。

会社では現業のブルーカラー職は現場で働かざるを得ませんが、経理などのホワイトカラー事務職は主に在宅勤務でテレワーク、オンラインワークをする、管理職はそれらの現業と在宅勤務を取りまとめるため必要人数は出社する、という具合に、電話やインターネットを活用した遠隔勤務とその業務編成が広がってきました。こうした動きのメリットとデメリットを分析して、今後の働き方を考える必要があると思います。

学校での授業形態はどう変わったか

アナ：小中高から大学まで学校では通常の対面授業が困難となったので、代替措置として登校せずに在宅でオンライン授業をする、少人数授業では登校する場合もありますが、座席の間隔を空ける、という授業形態が広がってきました。

すると教員の側でもＺＯＯＭなどのアプリを使ってオンラインの遠隔授業をする体制を準備したり、授業を全てビデオ録画してビデオオンデマンド方式で生徒や学生が自宅で都合の良い時間に視聴できるように授業形態を変えるなど、準備に大変な時間を食われることになってきました。教室での授業より質問がしにくく、分かりにくいことも色々とある中で、レポート課題を毎週オンラインで提出したりするため、生徒や学生にとっても負担が大きくなりました。それに学期末には、正規の授業時間内に教室で試験監督の厳正な監視の下に試験をすることが難しく、また同時間帯にオンラインで試験をすることも難しいので、授業時間外の23時までにレポートを提出して試験に代えるとか、教育基準に違反するようなやり方をせざるを得なくなってきました。教室での正規試験と比べて試験監督ができないので、不正行為の監視はほぼ不可能となってきました。

報道によると、W大に入学した女子大生は、高い家賃を払って都心に一人暮らしする意味はないので、沖縄の実家に帰ってオンライン授業を受けると言いました。特に1年生は教室での授業がないと友達ができず、担当教員との面識もできないので、つまらないと言っています。

学校は単に知識の切り売りをするだけでなく、師弟関係や友人関係を培うという人間教育の場を提供する責任がありますが、オンライン授業の準備に追われて、人間教育の面では疎かになり、かなり質の低下が見られます。そのため2020年度には生徒や大学生の自殺率が急増し、自殺者数は過去数年で最多となり、大学生の休学や退学が増えました。ただし、もともと通信教育制の学校や大学では、通信教育のノウハウを活かして従来通りの通信制授業ができていますので、あまり影響を受けていないようです。

2　緊急事態宣言などの行動規制はどう発出されたか

緊急事態宣言の発出

エコノ教授：新型コロナ感染症の第1波の急拡大を受けて、2020年4月7日から緊急事態宣言が発出されました。「接触機会の最低7割削減、極力8割削減」の目標を掲げて、生活や健康の維持のために必要なもの以外は自粛を要請しました。医療機関への通院、食料・医薬品・生活必需品の買い出し、必要な職場への出勤、屋外での運動や散歩などに限定した訳です。不要不急の外出や、帰省・旅行などの県外への移動を自粛し、飲食店の営業短縮、繁華街での接待を伴う飲食店などクラスター（集団感染）が発生した店舗の営業自粛も要請しました。ただしこれらは欧米の都市封鎖（ロックダウン）のような法的強制力はなく、あくまでも自粛の要請であるので、強制力は弱いと言えます。

「3密」がある集まりやイベントではクラスターが発生する恐れが大きいので開催の自粛要請を行い、特に全国的で大規模なものは感染リスクへの対応が整わない場合は、中止や延期の要請をしました。

特定警戒都道府県では、感染の拡大に繋がる恐れのある施設には使用制限要請や休業要請を行うが、社会経済や住民の生活・健康などへの影響を留意し、各都道府県知事が適切に判断すると言いました。例えば、博物館、美術館、図書館、屋外の公園などは感染防止策を取ることを前提に、開放することもあり得る訳です。

それ以外の34県では、感染拡大の防止や社会経済活動を維持する観点から、地域の実情に応じて各県が判断し、クラスターが多数発生している施設などは、使用制限の要請などを行う一方、クラスターの発生が見られない施設については、基本的な感染対策の徹底を強く働きかける方針です。各事業者には業種や施設の種別ごとにガイドラインを作成するなど、自主的な感染防止のための取り組みを求めています。

特定警戒都道府県では「出勤者数の7割削減」の目標を掲げて、テレワークやローテーション勤務などの強力な推進を要請しました。一方、それ以外の34県はその目標の対象からは外すものの、テレワークや時差出勤など人との接触を減らす取り組みは要請する方針です。

学校については、特定警戒都道府県とそれ以外の県で区別はせず、「地域の感染状況に応じて、感染予防に最大限配慮したうえで、段階的に学校教育活動を再開し、児童・生徒が学ぶことができる環境を作っていく」方針です。

3　大学設置基準に基づく本来の教育への是正

通学制の大学設置基準とは何か

エコノ教授：学校教育、特に大学教育の変化については、法令に違反する面が多々あるので、特に是正が必要でしょう。

大学設置基準では、通学制大学の授業を以下の通り定めています。

（授業の方法）第二十五条　授業は、講義、演習、実験、実習若しくは実技のいずれかにより又はこれらの併用により行うものとする。
2　大学は、文部科学大臣が別に定めるところにより、前項の授業を、多様なメディアを高度に利用して、当該授業を行う教室等以外の場所で履修させることができる。

つまり授業は講義、演習、実験、実習、実技などによりますが、原則として「当該授業を行う教室等」で行わなければいけません。ただし学生側の聴講・履修は、教室等以外でもできるように、通信など「多様なメディアを高度に利用して、当該授業を行う教室等以外の場所で履修させることができる」と例外を認めています。

また次項では、

3　大学は、第一項の授業を、外国において履修させることができる。前項の規定により、多様なメディアを高度に利用して、当該授業を行う教室等以外の場所で履修させる場合についても、同様とする。
4　大学は、文部科学大臣が別に定めるところにより、第一項の授業の一部を、校舎及び附属施設以外の場所で行うことができる。

つまり原則として授業は教室等で行わなければいけないが、学生はメディアを利用して教室等以外でも、外国でも履修しても良いと例外を定めています。また授業の一部は、「校舎及び附属施設以外の場所で行うことができる」と定め、部分的に博物館見学などフィールドワークを認めています。

大学通信教育設置基準とは何か

これに対して大学通信教育設置基準では、通信制大学の授業を以下の通り定めています。

(授業の方法等) 第三条　授業は、印刷教材その他これに準ずる教材を送付若しくは指定し、主としてこれにより学修させる授業(以下「印刷教材等による授業」という。)、主として放送その他これに準ずるものの視聴により学修させる授業(以下「放送授業」という。)、◆大学設置基準◆第二十五条第一項の方法による授業(以下「面接授業」という。)若しくは同条第二項の方法による授業(以下「メディアを利用して行う授業」という。)のいずれかにより又はこれらの併用により行うものとする。

つまり通信教育は、「印刷教材等による授業」「放送授業」「面接授業」もしくは「メディアを利用して行う授業」のいずれかの方法でやるか、またはこれらの併用により行うものとします。

また「2　印刷教材等による授業及び放送授業の実施に当たつては、添削等による指導を併せ行うものとする。」と定めて、添削等による指導を義務づけています。さらに「3　大学は、第一項の授業を、外国において履修させることができる。」と定めて、学生には外国での履修を認めています。

通学制大学はもはや通信制大学に変質した

２０２０年度のコロナ感染症のパンデミック以降２０２１年度においても、多くの通学制大学は大学設置基準に違反して教室等での授業を放棄し、大部分の授業を「教室等以外」で行い、学生にも「教室等以外」で履修させてきました。これでは最早「通学制大学の授業」ではなく、「通信制大学の授業」に変質しています。多くの大学が当たり前のように行っていますが、違法行為であることには変わりないので、然るべき是正措置が必要となります。

東京オリンピックの競技を見れば明らかなように、選手たちはプレー中はマスクをせず、汗まみれの身体をぶつけ合って試合をしています。3密どころか「濃密接触」です。それでも安全に試合ができるのは、試合前にＰＣＲ検査や抗原検査を行い、陰性の場合にのみ試合参加を認め、陽性の場合には隔離待機させる厳格な措置を取っているからです。通学制大学でも授業参加前にＰＣＲ検査や抗原検査を行い、陰性の場合にのみ教室等での授業参加を認め、陽性の場合には自宅隔離待機してオンラインで履修させる措置を取れば、安全な通学制授業が可能となるでしょう。

しかしそのためには大学が負担するべき毎日の検査費用は莫大になり、財政破綻の危機に直面する危険性があります。多くの大学が大学設置基準に違反して通学制の授業を放棄し、通信制授業に変質させたことは、通学制授業ができない非常事態における代替措置としては、やむを得ない措置と言えるでしょう。

通信制大学に変質した通学制大学は通教授業料以上は返還することが望ましい

ならば、やむを得ずオンラインの通信制の授業に変更したので、通信制の授業料に変更することもやむを得ません。通信制授業料を超える部分は学生や親に返金します、と通知するべきであり、文科省もそのように指導するべきでしょう。

学長や理事など責任者は然るべき責任を取り、通信制授業料に該当する以上の金額は学生や親への返金に充てるべきでしょう。全ての業種がそうであるように、教育機関も提供した教育サービスの正当な対価だけを受け取るべきです。

新型コロナのパンデミックのためにやむを得ざる変更は認められるにしても、それに対応して「法の正義」は堅持する必要があります。さもなければ、医療秩序や経済秩序が乱れるだけでなく、教育秩序や法秩序も乱れます。

4　アンケート調査による働き方の変化

テレワークの導入実態は？

エコノ教授：こうした方針の下で、テレワークによる働き方の変化について、アンケート調査の結果をアナに報告してもらいましょうか。

アナ：東京商工会議所が約1万3千社を対象に実施したアンケート調査によれば、企業のテレワークの実施率は2020年3月では26％であったのが、2020年6月には67・3％に増えました。52・7％の企業が緊急事態宣言の発出以降に行ったので、宣言発出の効果があったと言えるでしょう。

従業員30人未満の実施率は45・0％であり、300人以上では90・0％と、従業員規模が大きくなるにつれて実施率は高く、実施しやすいと言えるでしょう。業種別では小売業の実施率が最低の44・4％であり、全業種中で唯一「実施する予定はない」が「実施している」を上回りました。ネット通販を除けば、小売業は直接顧客と接するので、テレワークは難しいでしょう。テレワークを実施した際に生じた問題点については、「ネットワーク環境の整備」が56・7％で最多であり、「発出前より実施」では「書類への押印対応」が60・1％で最多でしたが、「発出以降から実施」では「PC・スマホ等機器の確保」が58・8％で最多でした。まだまだネットワーク環境や機器が不十分であり、押印の慣習が重しになっていると言えます。

またテレワーク実施の効果について、「働き方改革が進んだ」が50・1%で最多であったことは、テレワークが今後も重要な労働手段となることを示唆していると言えるでしょう。

5 テレワークのメリットとデメリット

テレワークのメリット

エコノ教授：では働き方の変化の実態を踏まえた上で、メリットとデメリットについて分析してみましょう。

まず労働者・従業員にとってのメリットは、第一に通勤時間が必要なくなり、特に遠距離通勤の社員には時間節約のメリットが大きく、在宅勤務でテレワークをしながら、子育てや親の介護、自己啓発などに使える時間が増えます。それにより仕事と生活の調和、つまりライフ・ワーク・バランスが取りやすくなることです。

第二のメリットは、紙ベースの仕事をPCベースに移してネットで送受信するため、作業効率が上がり、他部署との情報共有が進み、業務の効率化や高速化が可能となることです。

次に企業にとっての第一のメリットは、社員に支給してきた通勤手当・交通費を大幅に削減できるようになったことです。事務所やオフィスのスペースや机などの用具、照明や空調も縮

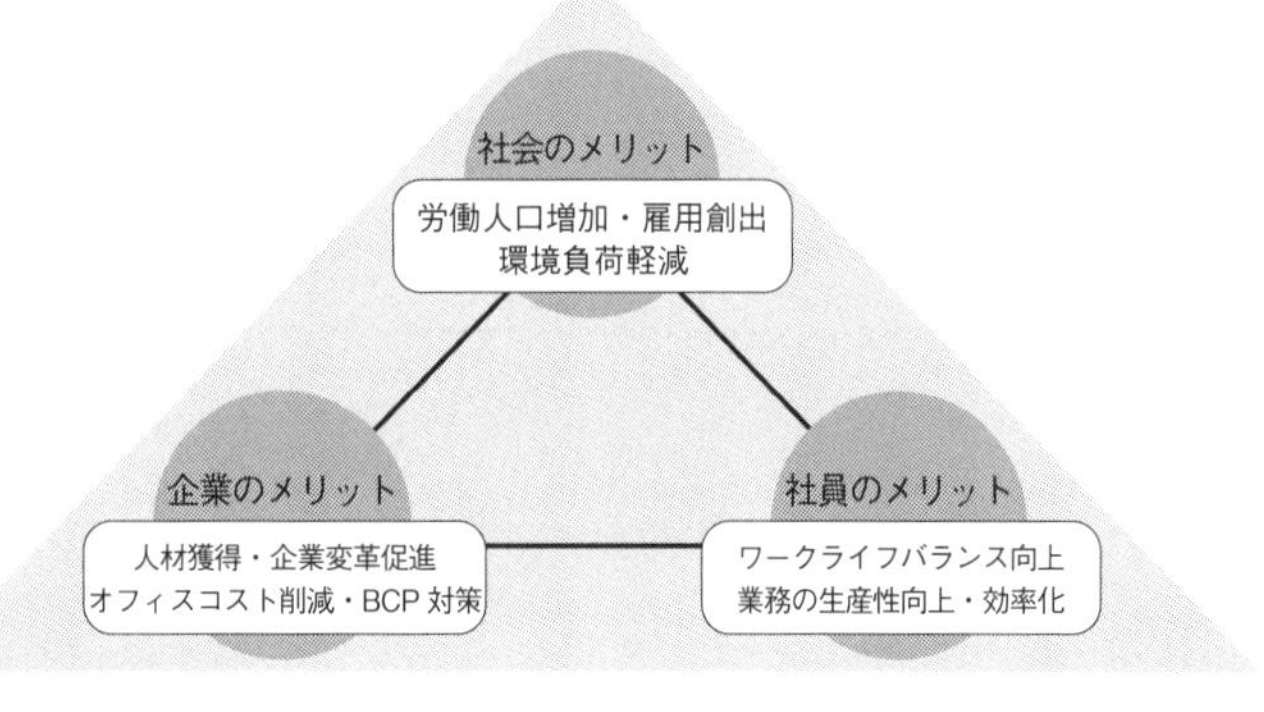

図8−1　テレワークのメリット

出典：SAP Concur

減できるようになり、それらの使用・管理費用や賃貸料も支払わなくてよいようになるので、事務経費の削減ができます。会社に比べて自宅の照明や空調の電力消費量は小さいため、社会全体の電力消費量を節減でき、環境負荷を減らすこともできます。さらには、立地上は便利であるが高地価の場所にオフィスを置く必要がなくなるので、郊外や地方の低地価の場所へオフィスを移して、地価・地代を節減できるようになります。社会全体でも地方の過疎化を食い止める効果があるでしょう。立地上の不便をＩＣＴによるテレワークがカバーする訳です。

第二のメリットは、テレワークにより在宅勤務を認めると、個人の都合で毎日出社はできないが優秀な能力を持つ人材を雇う機会が増えることです。親の介護をせざるを得なくなった従業員でも、即退職ではなく、在宅勤務を認めると雇用を継続する機会が増えます。労働人口減少時代にあって、社会全体ではそれを補う効果があるでしょう。

第三のメリットとしては、業務の継続性を上げることができます。日本テレワーク協会の調査では、東日本大震災の以前からテレワークを導入していた企業は、震災後も「通常と同様に仕事ができた」が約62％を占めたのに対して、テレワークの社内ルールがなかった企業では40％しかありませんでした。

テレワークのデメリット

半面で在宅のテレワークにも、デメリットがありますが、カムイに調査結果を報告してもらいましょう。

カムイ：いろいろな調査結果を読んできましたが、労働者にとって在宅勤務の第一のデメリットは、タイムマネジメントの問題です。仕事と家事との切り分けが難しくて仕事に集中しにくいとか、それでも課せられた仕事を達成するために長時間労働になりやすいとか、そのため仕事を終わる時間が夜中になって不規則な生活になるといった恐れがあることです。

また第二のデメリットとして、健康面の問題が挙げられます。毎朝決まった時間に満員電車で通勤し決まった時間に帰宅すると、生活のリズムが整い、1日で1万歩ほど歩くので体調も整いますが、在宅で長時間ＰＣの前で座っていると、ブルーライトによる眼精疲労やエコノミー症候群になりやすい恐れもあります。よって適度の運動を習慣づける必要があるでしょう。

第三のデメリットとして、教育環境の悪化です。18歳以下の児童や生徒の自殺が、2019年度に399人であったのが、2020年度には499人へと100人、25％も急増しました。国立大学生の自殺は、2020年度には10万人当たり男子21・2人、女子11・3人と急増し、男子は過去6年間で最多、女子は過去8年間で最多となっています。親がテレワークを自宅の居間ですると子供がテレビを見れないとか遊べないというしわ寄せがあり、両親の夫婦喧嘩が増えてその悪影響が及びやすくなるという影響も考えられます。3密回避や行事の中止で子供達の友人関係や学習意欲が希薄となり、ストレスも溜まります。オンライン授業では教員による子供の指導や管理が行き届かなくなり、師弟関係や友人関係が育たず、自殺率が急増しているので、人間教育の質的低下に対して教育界は大いに反省してその改善を図る必要があるでしょう。

さて企業にとっての第一のデメリットは、労務管理の難しさです。社員の出社退社の時間管理ができないので、8時間労働制や時間給など時間管理型の雇用・賃金制度が機能できなくなります。そこで、個々の仕事の単位賃金を決めて仕事量に応じた出来高給制に切り替えざるをえなくなります。今までも特殊職を対象とした「裁量労働制」や「高度プロフェショナル制度」があり、所定の仕事をすれば労働時間を裁量で適宜に決めることは可能ではありましたが、それをホワイトカラーの一般職にまで広げるには、出来高給制の新たな仕組みを整備する必要があるでしょう。

企業にとっての第二のデメリットは、コミュニケーションが困難になることです。現業のブルーカラーは会社へ出勤せざるをえず、ホワイトカラーの事務職の在宅勤務者との連絡や調整をする業務が従来より煩雑になる恐れがあります。現業ではすぐに在宅勤務者と連絡して確認したいことがあっても、在宅勤務者が家事をしていたり夕方から仕事をする場合には、連絡がつかないこともあり得ます。そこで両者の仕事に精通した管理職が出勤して、両者の連絡や調整を図る必要がありますが、上手く行くとは限りません。フェイス・トゥ・フェイスの直接的なコミュニケーションができなくなるので、意思疎通の障害が業務遂行に悪影響を及ぼす恐れがあります。

6　今後の改善対策

企業も労働者も工夫と改善が必要

自然感染だけでなくワクチン接種も始まって集団免疫ができあがってくれば、コロナ感染の終息も期待されますが、新型コロナの特徴として次々と変異株が発生しているので、感染終息には予断を許しません。

そして、これまで緊急事態宣言と解除を繰り返してきた「Stop ＆ Go 政策」の弊害が生じています。宣言慣れした人々がそれに従わなくなり、オリンピックのお祭り騒ぎの影響で緊急事態宣言の形骸化が促され、感染力と重症化リスクが強いデルタ株が増加したこともあり、第5波は1日感染者数が2万6000人というかつてないほど超大型となりました。次第に減衰したとしても、次にミュー株など強力な新変異株の影響で、第6波も大型になることが懸念されています。

したがって変化してきた働き方や授業形態をしばらくは続ける他ないでしょうが、これらは本来あるべき姿ではないので、順次正常化へ向けて是正していくべきでしょう。ただし一定部分は元に戻らず、存続し続ける可能性があります。その新しい混合形態は、「ニューノーマル」とも呼ばれています。

労働者や学生にとって在宅勤務・オンライン授業は、メリットもあるがデメリットも多いです。

第一に、タイムマネジメントの問題に対し、在宅勤務を会社側で時々管理する仕組みを作る必要があるでしょう。第二に、健康面の問題に対し、適度の運動と休憩を組み込んだ労働時間管理の仕組みを考える必要があるでしょう。第三に、教育環境の悪化や人間関係の希薄化に対し、学校ではできるだけ対面授業を増やし、師弟関係や友人関係を育てる人間教育を回復する必要があるでしょう。

企業にとってのテレワークのデメリットは、どう克服していくべきでしょうか。

第一に、労務管理の問題については、仕事量に応じた出来高給制に切り替えざるをえなくなるでしょう。第二に、コミュニケーション不足の問題には、その調整の仕組みを作っていく必要があるでしょう。

テレワークは緊急避難的な措置で終わるのではなく、そのメリットを活かしながら部分的でも継続的に進めていく必要が出てくるでしょうが、企業も労働者もその改善策を工夫しながら対応していくことが望ましいでしょう。

第9章　消費税増税や新型コロナ禍で悪化した雇用情勢とその回復政策とは

1　新型コロナパンデミックにより世界中で雇用情勢や失業率は悪化

新型コロナで雇用情勢は急激に悪化

エコノ教授：2019年12月に中国武漢で発生した新型コロナウイルス感染症が、パンデミックと呼ばれるように世界的に大流行をして、世界各国では外出自粛、営業自粛、県外や国外への移動の自粛を求める緊急事態宣言、法的強制力を持つ都市封鎖（ロックダウン）などが実施され、経済活動が急激に落ち込みました。それに伴い雇用情勢も急激に悪化しています。

国際労働機関（ILO）の統計調査では、新型コロナ禍による労働時間の減少は、表9−1の通り2019年Q4（第4四半期）に比べて、世界では2020年Q1で5・2%、同年Q2では実に18・2%のピークに達し、同年Q3では7・2%、同年Q4では4・6%と落ち着いてきました。特に中国、台湾、韓国、日本など東アジアでは、当初のQ1では11%であったがその後急速に減少し、Q4では0・9%にまで回復してきました。反対に南アメリカではQ

2に35・1％も減少し、Q4でも10・8％と落ち込みが大きいです。また北アメリカやEUでは、Q1では少なかったものの、Q2ではかなり大きくなり、Q4でも世界平均より大きいです。

完全失業率の悪化

ではカムイに、完全失業率の推移を国際比較によって調べてもらいましょう。

カムイ：了解です。完全失業率は、2020年1月に比べ、12月ないし2021年1～2月では、ヨーロッパではスペインが13・8％から16％へ、イギリスが4・0％から5・0％へ、ドイツが3・4％から4・6％へ増えています。ただしイタリアでは9・6％から9％へ、フランスでは8・1％から7・9％へやや下がっています。アメリカでは3・5％から一時は14・8％へ激増したものの6・2％へ下がっています。日本では2・4％から2・9％へ増えていますが、世界では低い方です。

2　完全失業率や有効求人倍率は消費税再増税とコロナ禍で急に悪化しているか？

日本の失業率の長期動向

エコノ教授：では直近のデータを使って、日本の最近の詳細な動向をアナに調べてもらいま

表９－１　新型コロナ禍による労働時間の減少

（2019 年 Q4 に比べた減少率％）

	世界	東アジア	北アメリカ	南アメリカ	ＥＵ
2020Q1	5.2	11.0	1.6	5.4	4.2
2020Q2	18.2	3.3	18.5	35.1	16.4
2020Q3	7.2	1.5	10.4	19.4	5.4
2020Q4	4.6	0.9	6.5	10.8	9.6

出典：ILO、ILOSTAT から作成

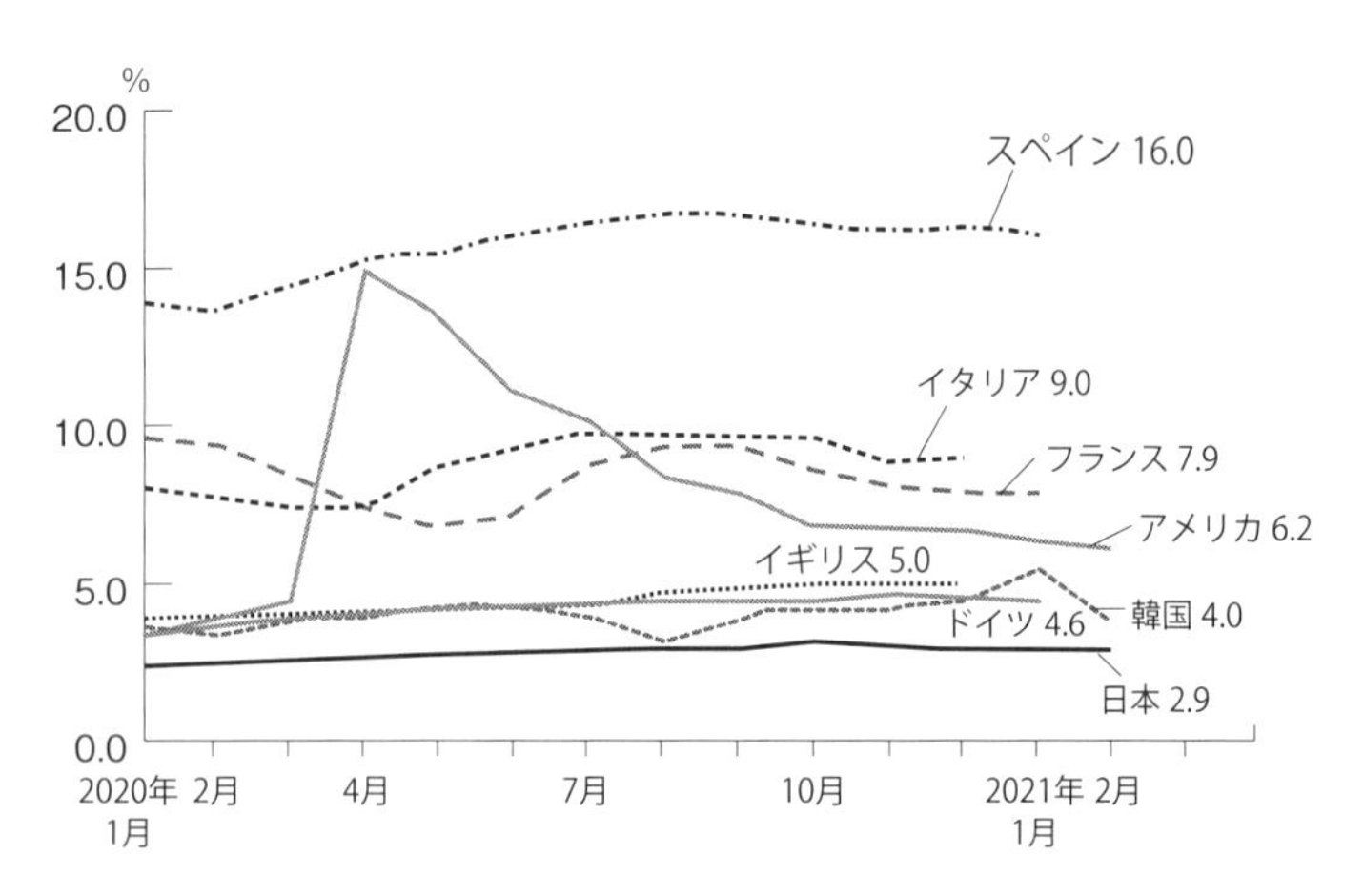

図９－１　新型コロナ禍による完全失業率の増加

出典：OECD.Stat 2021 年 3 月、総務省「労働力調査」、2021 年 3 月 30 日、作図は労働政策研究・研修機構

しょうか。

アナ：分かりました。まず長期の時系列年次データでは、２０１３年からアベノミクスの低いが緩慢な回復の影響で、完全失業率は４・３％から２０１９年末の２・２％まで緩慢な低下トレンドにあり、有効求人倍率は０・９から２０１９年末には１・７まで増加トレンドにありました。

月次データで最近の動向を調べると、完全失業率は２０１８年から平均２・４％で横這いであったものが、２０１９年10月の消費税再増税による景気悪化と物価上昇、つまりコストプッシュ・インフレの影響で、完全失業率は12月の２・２％を底にして次第に増加し始め、２０２０年になってからは新型コロナ禍の影響によってさらなる増加傾向に転じ、２０２０年10月には３・１％にまで悪化しました。その後２０２１年１月には２・９％へとやや低下しています。

有効求人倍率の長期動向

それと照応して、有効求人倍率は、２０１８年12月には１・73倍であったのが、米中貿易摩擦の影響などで景況が悪化したのを背景にその後は低下し、２０１９年５月には１・48倍まで落ちました。その後は回復して増加傾向となりましたが、２０１９年10月の消費税再増税によるコストプッシュ・インフレが起こると景況は悪化してマイナス成長となり、２０１９年12月の１・68倍をピークにして反転低下傾向となりました。この持続的物価上昇は、あくまでコス

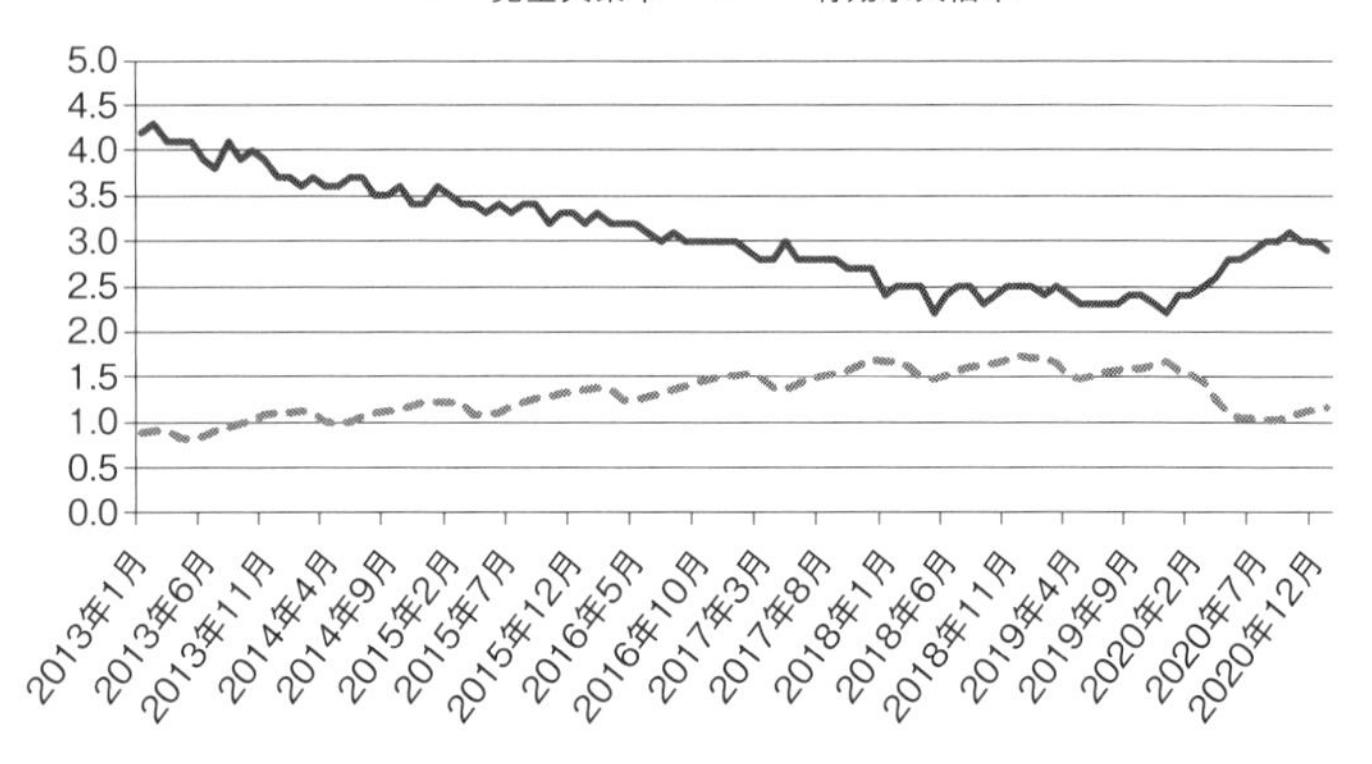

図９－２　年次の完全失業率、有効求人倍率

出所：総務省『労働力調査』、厚生労働省『有効求人倍率』より作成

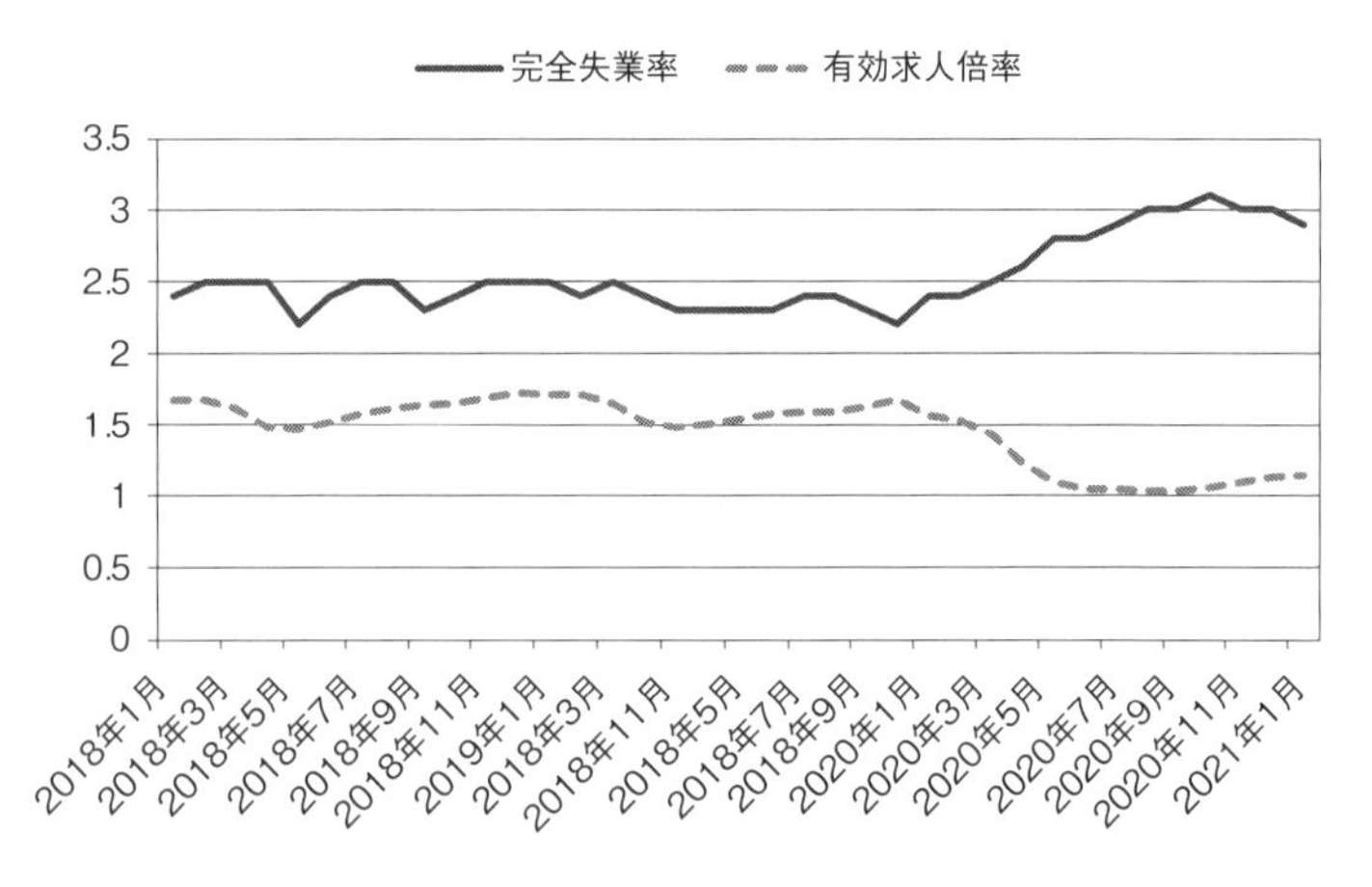

図９－３　月次の完全失業率、有効求人倍率

出所：総務省『労働力調査』、厚生労働省『有効求人倍率』より作成

トプッシュ・インフレであり、デフレ脱却ではありませんね。

さらにコロナ禍の悪影響で、有効求人倍率は2020年8月には最悪の1・03倍にまで落ち込みましたが、コロナ感染症第2波の減衰と共に、その後はやや回復しつつあります。完全失業率と有効求人倍率は増減の方向が逆になる逆相関ですが、相関率はかなり高いです。2018年から2021年の月次データでは、△0・845です。

3 人口構造、労働力率、就業率、失業率の長期動向は構造的なのか

生産年齢人口、労働力人口、就業者、失業者の長期動向

エコノ教授：消費税増税やコロナ禍の影響で雇用情勢や失業が悪化していますが、そうした直近の状況を踏まえて、日本の人口構造、就業者などの長期動向を時系列で分析してみましょう。

総務省の労働力調査では図9−4のように、15歳以上の生産年齢人口（15〜64歳の人口）は1990年の9974万人から2012年には1億1117万人のピークまで増えましたが、そのピーク後は少子化の影響で次第に減少し、2021年には1億1080万人にまで減少しています。

労働力人口（就業者と完全失業者を合計した人口）は1990年の6270万人から1999年には6793万人のピークに達し、1997年の金融不況や2000年IT不況の影響が

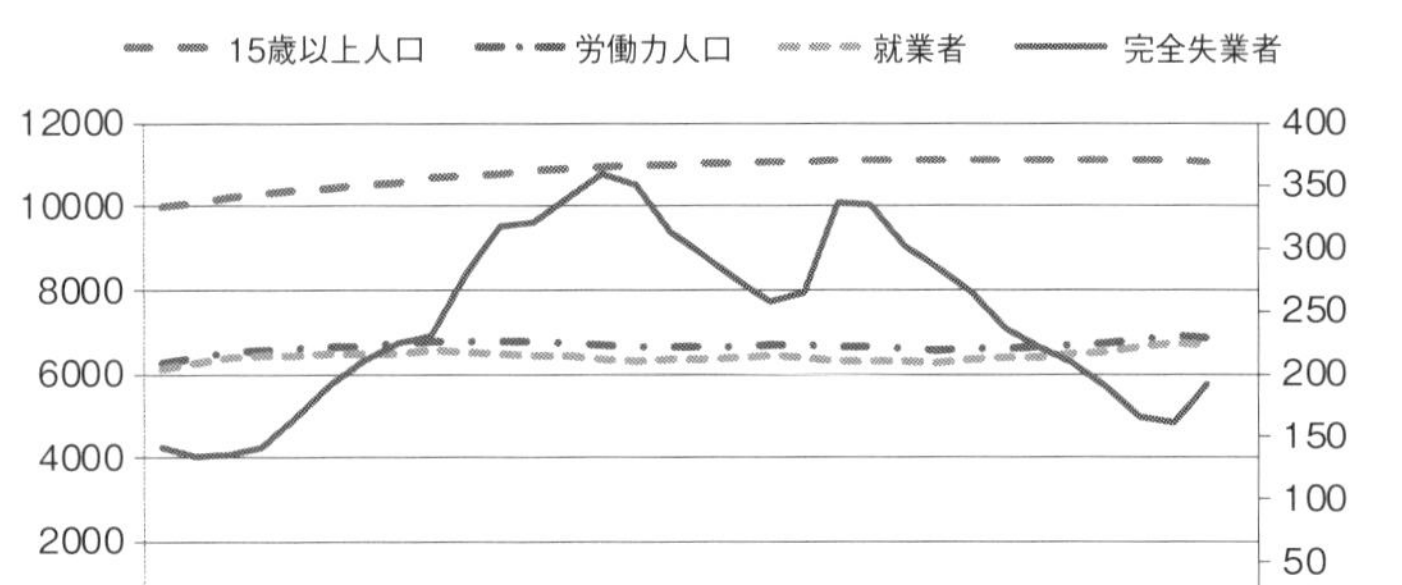

図９－４　生産年齢人口、労働力人口、就業者、完全失業者の長期時系列

出所：総務省『労働力調査』より作成

出始めて以降は減少しています。生産年齢人口よりピークが約10年早いのは、長期デフレ不況の影響が出ていると見られるでしょう。ただし２０１４年以降は増加傾向に転じて、２０２０年には６８８６万人に増えていますが、２０１３年以降のアベノミクスによる緩やかな上昇効果が伺えるでしょう。

就業者は１９９０年の６１２８万人から１９９８年には６５５７万人のピークに達し、やはり１９９７年の金融不況や２０００年ＩＴ不況の影響が出始めて以降は減少しています。ただし２０１４年以降はアベノミクスの緩やかな上昇効果を背景に増加傾向に転じて、２０２０年には６７２４万人に増えています。

完全失業者は長期デフレ不況により１９９０年から次第に増加傾向にあり、２００３年には３５９万人のピークに達しましたが、小泉いざなみ景気により減少傾向となりました。しかし2008年リーマンショックにより増加傾向に転じて、2010年には336万人のピークに達しました。その後はアベノミクスの緩やかな上昇効果もあり減少傾向に転じて、2020年には162万人にまで減少しました。しかしコロナ禍の悪影響で2021年には増加に転じました。

では率で見るとどうなるか、カムイに分析してもらいましょう。

4 労働力率、就業率、完全失業率の長期動向は?

労働力率、就業率、完全失業率の長期動向

カムイ: 労働力人口比率は労働力率とも言いますが、図9–5を見ると64%の1993年以降はトレンドとして下がっています。ということは、生産年齢人口より労働力人口の減り方が大きいことを意味します。つまり働かないことを選ぶ人が増えているのです。

原因としては、少子化が進行するなかで、進学率が上昇したり、長期デフレ不況や景況悪化で求職活動から撤退したことなどが挙げられます。

完全失業率は景気の影響をやや遅れて反映するので遅行指標とされていますが、1993年以降ずっと上がり続け、2001年IT不況後の2003年に5・4%の最悪を記録し、その後小泉いざなみ景気によって2008年には3・9%まで回復しました。しかし2008年

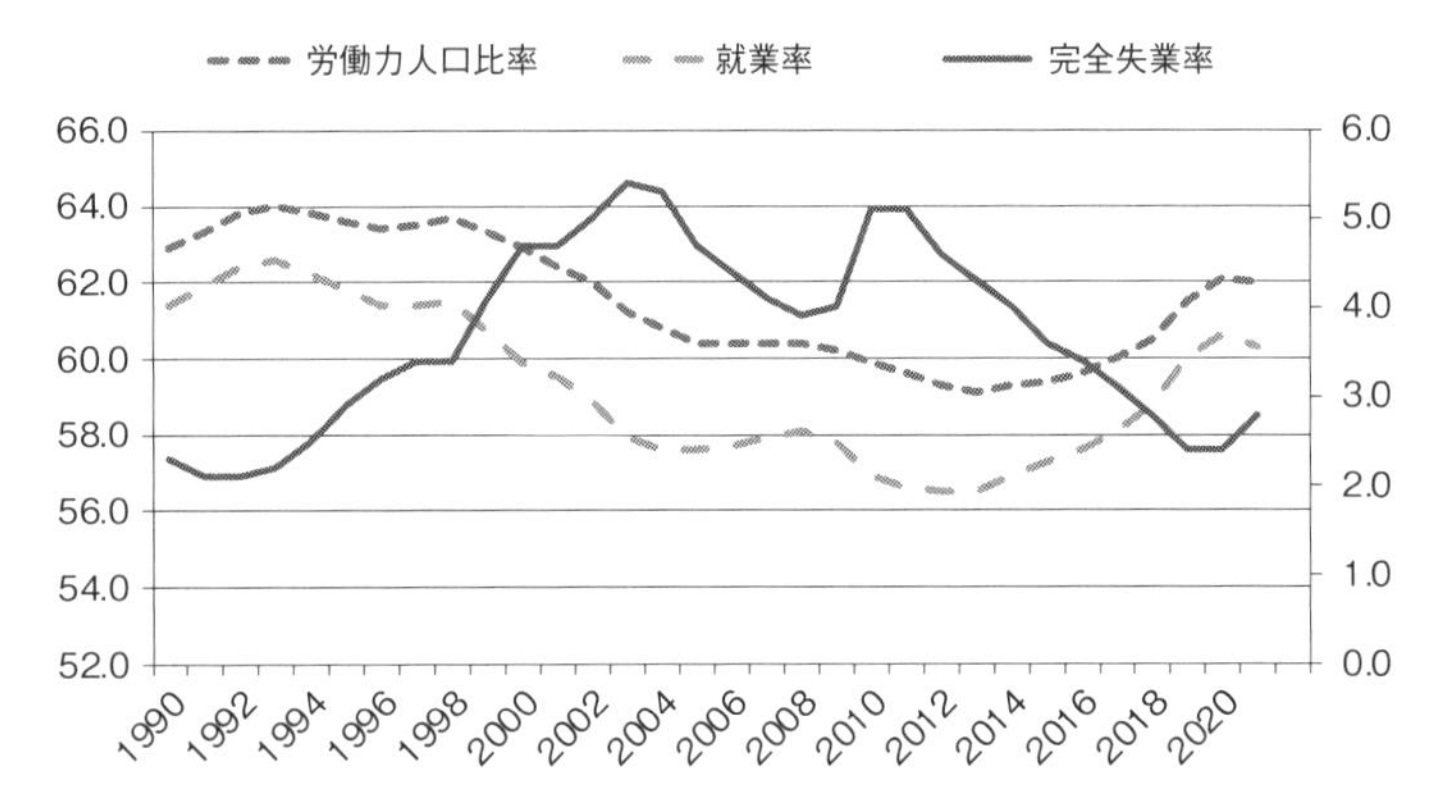

図９－５　労働力人口比率、就業率、完全失業率の長期時系列

出所：総務省『労働力調査』より作成

リーマンショック以降はまた悪化し、２０１１年東日本大震災不況では５・１％に悪化しました。その後は回復基調にあり、２０２０年には２・４％にまで回復しましたが、２０２１年にはコロナ禍の影響で増加に転じました。

労働力人口に占める就業者の割合を就業率と言いますが、１９９０年のバブル崩壊以降デフレ不況の影響でずっと低下傾向にあり、２０１２年には56・５％にまで低下しました。しかしその後はアベノミクスの影響で緩やかな上昇傾向に転じて、２０２０年には60・６％に達しましたが、２０２１年にはコロナ禍で減少に転じました。

5　悪化した雇用情勢や失業の回復政策とは

マクロの景気回復政策が有効にできれば雇用は改善する

労働力人口比率や就業率は２０１２年頃から長期的には増加傾向にありましたが、２０１９年消費税増税不況と２０２０年コロナ不況の影響を受けて減少に転じました、それに対応して、完全失業率は２０１８年から平均２・４％で横這いであったものが、２０１９年10月の消費税再増税による景気悪化と物価上昇、つまりコストプッシュ・インフレの影響で、完全失業率は12月の２・２％を底にして次第に増加し始め、２０２０年になってからは新型コロナ禍の影響によってさらなる増加傾向に転じ、２０２０年10月には３・１％にまで悪化しました。その後２０２１年１月には２・９％へとやや低下しています。

労働需要は国民所得需要の派生需要であり、国民所得の総需要が不況で減少すれば、労働需要も減少し、失業率は上がります。そこで雇用情勢や失業の悪化を改善するためには、景気を回復して総需要を増やす必要があります。

そのためにはコロナ感染症に対する政策対応を、これまで繰り返し述べてきたように、危機管理政策の原則に沿ったものにする必要があり、漸進主義的かつ段階的に行動規制を長期的に持続する戦略に転換することが、極めて重要と言えます。

第10章　２０２１年東京オリンピックは成功したか否か

1　オリンピックの歴史と精神

全世界の平和の祭典

エコノ教授：この章では、コロナ禍の最中に開催された２０２１年東京オリンピックについて検証していきます。

オリンピックの起源とは何でしょうか？　世界遺産に指定されているギリシャの都市オリンピアでは、紀元前8世紀から紀元前4世紀にかけて4年毎に総合的なスポーツ祭典が開催され、ギリシャ語では「オリンピアコス」（ολυμπιακός）と呼ばれていました。

オリンピアコスではゼウスの大神を奉り、戦争中の場合には休戦として、ギリシャ諸民族統合のために平和の祭典としてギリシャ全土から選手が集いました。ただしゼウス神は男神であるため女人禁制とし、全裸で競技を行ったという記録があります。

約２２００年の中断を経て19世紀末にフランスのピエール・ド・クーベルタン男爵は、「全世界の平和の祭典」として古代オリンピックの復活を提唱します。近代オリンピックの始まりです。第1回目は1896年にギリシャのアテネで開催され、以降、4年間隔で行われることになりました。五輪のマークもクーベルタンによって考案され、5大陸を平和で結びつける象徴とされています。夏季オリンピックと2年間隔を空けて、冬季オリンピックは1924年からシャモニー・モンブランで開催されました。

各種スポーツの世界選手権大会は個別に毎年開かれていますが、4年毎のオリンピック大会は全ての競技が一堂に会して開催されるため、まさに全てのスポーツの「全世界の平和の祭典」としてオリンピック精神を継承するものであり、個別競技の世界選手権とは違う格別の意義があります。

戦争や疫病の世界的流行の時は開催するべきか否か

4年毎開催という古代オリンピックのルールを近代オリンピックでも継承していますが、例外があります。1904年のセントルイスオリンピックの2年後、1906年にアテネオリンピックが開催され、1940年東京オリンピックは日中戦争のために中止となり、1944年ロンドンオリンピックも第2次世界大戦のため中止となりました。

そして2020年東京オリンピックは、新型コロナの世界的大流行のため中止となり、2021年東京オリンピックとして1年後に延期されましたが、1年延期開催というのは前例のないことでした。2年後開催という前例は1906年にあるので、戦争や世界的伝染病という重大な危機においては、一部の者の利益のために前例に反することを敢えてするのは、大きな疑念を後世に残すでしょう。仮にワクチン接種などにより集団免疫がほぼ確立すれば、2022年には、新型コロナのパンデミックがほぼ収束し、まさに「スポーツの平和の祭典」として2022年東京オリンピックが国民からも世界中の人々からも賛辞を得て祝福されたことでしょう。

2　2021年東京オリンピック開催にともなう幾つかの矛盾

感染者数の増大による「2020東京オリンピック」の延期

エコノ教授：では次に東京オリンピックが抱えていた問題点や矛盾について、カムイに分析してもらいましょう。

カムイ：2020年東京オリンピックは2020年7〜8月に開催の予定でしたが、新型コロナ感染の第1波が起こったのを踏まえて、2020年3月24日にIOC（国際オリンピック委員会）のバッハ会長と日本の安倍総理が協議して2021年に延期する案を合意し、JOC（日本オリンピック委員会）と東京都も合意して、IOC理事会で決定しました。

実際、2020年7〜8月には第2波が来て、感染者数は最大で1日当たり約1600人と、第1波の2倍強に増えました。当時は未だワクチンが開発されておらず、抗体など免疫力を高める医療対策もほとんど無策であり、単に経済活動を消極的に抑制する緊急事態宣言が発出されただけであったので、延期はやむを得ない措置と言えるでしょう。

また、「2020年東京オリンピック」は無くなったのでその名称を使うのは筋違いであり、後世の人々が「2020年東京オリンピック」が開催されたと勘違いしたり騙される危険性がありますす。コロナのパンデミックでそれが中止となり、翌年に延期されたという歴史の真実を正直に誠実に正確に伝えるためにも、「2021年東京オリンピック」と正確に表記するべきでした。

オリンピック開催期間中に第5波が襲来

2021年4～5月の第4波に対して第3回緊急事態宣言が発出されましたが、5月11日には全く収まらなかったため6月20日まで延長されました。しかし見通しは全く的外れであり、それが解除された時の感染者数は第2波のピークに近かったため、特に多い埼玉、千葉、神奈川、大阪の1府3県に対してはまん延防止等重点措置を発出しました。本来はとても解除できる状態ではなく、解除の時期が早すぎた稚拙な判断ミスと言えるでしょう。

その後も次第に感染者数は増えて、7月初めには1日当たり2400人ほどに増加してきました。2021年東京オリンピックは中止・延期しないが、感染者数が次第に増加して第5波が来つつあったため、政府は苦渋の選択として、7月12日には東京都に対して8月22日までの予定で4回目の緊急事態宣言を発出し、埼玉、千葉、神奈川、大阪の1府3県に対してはまん延防止等重点措置を8月22日まで継続するように発出しました。

その上、東京、埼玉、千葉、神奈川、及び北海道と福島でのオリンピック競技については、無観客とする提案を行い、東京都やＪＯＣおよびＩＯＣもその案を了承・決定しました。それに伴い、「都市ボランティア活動」についても中止となりました。結果的に、7月23日の開会式から8月8日までの17日間の東京オリンピックは、全日程が緊急事態宣言の下で開催される異常な事態となりました。

世論調査による国民の声

6月19～20日に行った朝日新聞の全国世論調査では、東京オリンピック・パラリンピックは「今夏開催」が34％、「中止」が32％、「再び延期」が30％で、中止と延期の合計では62％にも及びました。「今夏開催」の場合「無観客で行う」が53％、「観客数を制限して行う」が42％でした。政府のコロナ対応について「評価する」が44％、「評価しない」が48％でした。

今夏に開催する意義について、安倍晋三首相を引き継いだ菅義偉首相は当初、「人類がコロナに打ち勝った証し」だと強気の説明をしましたが、大言壮語と受け取られました。そこで6月17日の記者会見では「新型コロナという大きな困難に直面する今だからこそ、世界が団結し、人々の努力と英知でこの難局を乗り越えていくことを発信したい」と説明を変えました。これに対して「納得できる」が38％で、「納得できない」が54％と上回りました。

そして4回目の緊急事態宣言の導入が決定した直後、7月11日に日本テレビと読売新聞が行った世論調査では、東京オリンピック・パラリンピックについて、「中止する」が41％で一番多く、次が「無観客で行う」が40％、「少しでも観客をいれる」が17％という結果になりました。

菅内閣の支持率については、「支持しない」と答えた人が53％と政権発足以来最も高い数字となり、「支持する」人は37％で最低となりました。菅内閣を支持しない理由としては、「指導力が無い」が41％、「政策に期待できない」が22％、「首相が信頼できない」が17％、「自民党中心の政権だから」が10％、その他が10％でした。ワクチン接種をめぐる政府の対応については、「評価しない」が59％と「評価する」の36％を大幅に上回りました。

危機管理対策の原則に反する失政

緊急事態宣言の中で東京オリンピックの開催を強行することに対して、政府のやり方に納得できない、ワクチン接種の政府対応を評価できない、国民の53％が菅内閣を支持しない、という世論調査の結果をもたらしました。菅内閣は現状を慎重に分析して踏まえた上で、改善策を積極的に打ち出すことができれば事態の打開も可能となったかもしれませんが、結局は短命内闇に終わりました。政府はこうした国民の声を真摯に受け止めて、改革するべきでしょう。

こうした急激な引き締めと急激な解除を繰り返す「Stop & Go 政策」のドタバタ劇の方法が危機管理対策として極めて重大な失策であることは、本書で繰り返し述べてきたとおりです。

かつてイギリスが、低迷した経済の立て直しをするため「Stop & Go 政策」を実施して大失敗をしました。日本でも1985年のプラザ合意による円高ショックに対して、急激な金融緩和政策を行って史上最悪のバブルをもたらし、1989年からは急激な金融引き締めに転じて史上最悪の長期デフレ不況をもたらしました。「歴史は繰り返す」と言いますが、急激な緊縮策と急激な解除策を繰り返す無計画で杜撰なドタバタ劇は、リバウンド効果の危険性を全く考慮できなかったため、感染者や重症者や死亡者を激増させる最悪の結果をもたらしました。こうした重大な失策は、決して繰り返してはなりません。

オリンピック開催の意思決定手続き

東京オリンピックの開催を決定する手続きは、東京都、JOC及びIOCの合意を経て、IOC理事会で決定します。これが機関決定の原理です。この手続きに則ってオリンピック開催、あるいは中止や延期を決定することは合法的です。日本政府もそれらの機関と協議して意思決定に影響することはできますが、最終的な決定権はあくまでもIOCにあります。とはいえ世論を無視した独断的決定をすれば、当然世論から批判を受けて見放され、後にその報いを受けることになるでしょう。

政府は東京都に対して緊急事態宣言を7月12日から実施すると決定しましたが、同時に東京オリンピックは無観客で行う案も提案しました。後者の案を決定するのは先に述べた手続きによります。

「日本は世界に向かって東京オリンピック開催を宣言したので、当然開催するべきである」など元大臣が放言しましたが、これは国民の世論を踏まえた上で東京都とJOCとIOCが機関決定をするという手続きを理解できない初歩的な誤解と言えます。

3　オリンピック開催中、どんな対策をとるべきだったか

第5波が襲来する中での東京オリンピックの開催強行

エコノ教授：カムイには詳細な分析をどうもありがとう。次に成すべき医療対策について、アナから説明してもらいましょう。
アナ：現状を客観的に分析すると、2021年夏にオリンピックを開催してもしなくても、感染者、重症者、死亡者をゼロにすることは不可能だったでしょう。開催しない場合に比べて、開催した場合に感染者、重症者、死亡者を増やすことがなければ、オリンピックを開催しても悪影響があるとは言えません。しかし感染者、重症者、死亡者を増やすことになれば、オリン

ピックを開催すると悪影響があったことになります。
図1-1（15ページ）を見れば分かるように、6月20日に3回目の緊急事態宣言を解除してから感染者数は次第に増大したため、7月12日から4回目の緊急事態宣言を発出しましたが、それでも感染者数は増え続けています。7月14日には東京都の感染者数は1149人、15日には1308人と第4波のピークを越えました。全国の新規感染者数は15日で3419人と第4波のピークより少ないものの、増加のスピード化が第4波を上回っていました。

オリンピック開催と第5波の感染者大激増とは相乗関係

7月23日の開会式までに既に84人の大会関係者が感染し、全国では感染者が5000人を超える第5波が襲ってきました。オリンピック大会関係者の感染者は7月24日には137人に急増、29日には198人となり、その後も382人（8月6日）↓404人（8月7日）↓547人（8月8日）と増えています。パラリンピック関係者の感染者は9月5日までに301人、合計で848人と激増しました。

外国からの大会関係者は予防接種を済ませ、PCR検査を空港と宿舎で3日間行い、その後は定期的に行うルールであり、14日間の隔離を強制されていました。よって404人の陽性者のうち海外からウイルスを持ち込んだものはわずかと見られますが、多くは来日後に日本の委託業者を含む大会関係者や市中に出ての接触によって感染し、また相互に感染し合ったと見られます。8月7日の内訳では委託業者の144人が最多です。海外からの大会関係者は彼ら相互で接触すると共に、国内の委託業者を含む大会関係者とも接触するので、感染は相互媒介的であり、相関関係があります。

大会関係者の感染者数と東京都や全国の感染者数とには強い正の相関関係があり、しかも第5波の感染者の激増テンポは大会関係者の感染者の激増テンポとも相関があります。相関関係は因果関係ではありませんが、個別の接触ルートとその時どちらが先行して感染していたかを調査できれば、因果関係も明らかとなるでしょう。菅総理は感染者数の増大とオリンピックの開催とは「無関係」であると主張しましたが、無関係であるということを科学的に証明しない限り、何の科学的根拠もありません。

感染者、重症者、死亡者の急増が続けば、選手に犠牲者が出て競技そのものを中止せざるを得ない非常事態に追い込まれる危険性もあり得ました。そうした危険性に対して緊急事態宣言がどこまで有効となるかですが、第4波までは2週間で歯止めが掛かり始めましたが、第5波ではほとんど歯止め効果はありませんでした。第5波のピークはオリンピック終了後の8月20日の2万5868人であり以降は減少に転じているので、7月12日の緊急事態宣言からおよそ5週間と、1ヵ月以上経って歯止めが効き始めた訳です。

この歯止め効果が通常より2・5倍も遅れた原因は何か、それは五輪がもたらした相乗効果が否定できません。選手はマスクせず汗まみれで直接競技するが市民はマスクをして外出を控

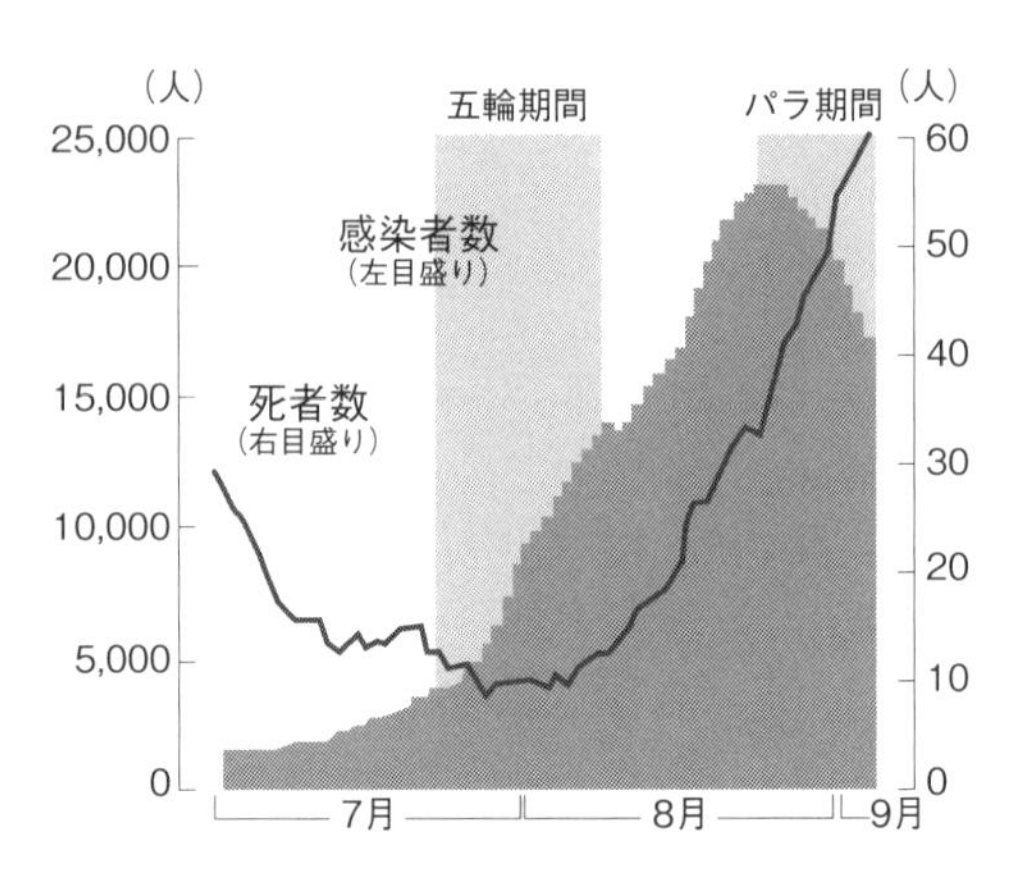

図10－1　五輪前からパラ開催までの感染者数と死亡者数

出典：朝日新聞

え、ろ、バッハ会長は銀ブラを楽しむ、などと言行不一致で不公平なので、お祭り騒ぎに乗って多くの市民も外出をし、人流が増えて感染者が激増したことが考えられます。この効果を検証するためには、人流の日時データが揃えばできますが、公表されていません。かつてないスピードで第5波の感染激増が続く中で、無理矢理オリンピックは強行されました。

第5波が日本で大激増したのは特有の原因がある

これまで見てきたように、世界全体の感染波状は、第4波よりインド型デルタ株が急拡大した第5波の方が小さな波であり、第5波（2万6000人）が第3波（7000人）の約4倍にも大激増した国は日本以外にはありません。つまり第5波の大激増はデルタ株の拡大以上に、日本特有の原因により起こったのであり、ワクチン対策やコロナ対策の遅れ、急激な緊急事態宣言と解除の「Stop & Go 政策」の失敗、緊急事態宣言の中での東京オリンピックの強行が大きく影響していると見られます。

7月28日にはPCR検査の陽性率も16・9%と悪化し、8月11日には東京都で22・5%、神奈川県で37・0%と過去最高を記録しました。特に若者の人流が増えて感染者数や陽性率が増えています。

感染者数が激増しているだけでなく感染率(陽性率)が激増していることは、緊急事態宣言の中で五輪開催を強行してお祭り気分を高めたことによる人々の気のゆるみがあったと考えられます。その結果、マスクを着用しない、距離を保たない、電車内でお喋りをする、電車の窓を開けて換気せずにクーラーで冷房する、などとなり、飛沫感染やエアロゾル空気感染が激化したのではないでしょうか。こういった状況が、感染力が非常に強いインド型デルタ株の割合が急速に増えた中で生じ、増加を加速した原因となったのでしょう。

段階的で持続的な抑制策を採用したニューヨーク州では、陽性率が0・4%に下がったことを受け、クオモ州知事は2021年6月24日、1年3ヵ月ぶりに宣言解除をしました。反対に、稚拙な「Stop & Go 政策」で急激な抑制と解除を粗雑に繰り返してきた日本では、陽性率は約17%に激増し、感染者や重症者は約10~11倍に、死亡者は約3~7倍に激増しました。

「専門家会議」の答申に基づく間違った対策と戦略は、トレンドとして感染者も重症者も死亡者も激増させてきましたので、これを根本的かつ抜本的に改めない限り、事態の改善は到底無理でしょう。

東京オリンピックはいつ開催すべきだったか

実際、高温と乾燥に弱いコロナの感染力が弱まり、ワクチン接種も進んで集団免疫が徐々に広がり、1日当たり感染者が減少してきた10月現在、もし、2～2ヵ月半ほどオリンピック開催を遅らせたとしたら、はるかに被害の少ない形で開催できたことでしょう。

自然感染からの完治者が強い免疫力を付け、更に広範なワクチン接種がほぼ終われば、集団免疫がかなり出来上がってくるので、2022年にコロナパンデミックがかなり収束した場合に開催するのがベスト（最善）となったでしょう。無観客にする必要も無いので、900億円の赤字も出ません。拙速に慌てて2021年に開催するのであれば、せめてコロナの第5波が多少とも収まってくるであろう9～10月の「スポーツの秋」に開催するのが、セカンドベスト（次善）となったでしょう。

1964年東京オリンピックは「スポーツの秋」に開催された

日本では昔から「スポーツの秋」という名言がありますが、それは暑すぎず寒すぎずスポーツに最も適したシーズンであるからです。日本人なら誰しも、子供の頃から幼稚園や学校の運動会は猛暑の真夏ではなく涼しい秋に行われてきた記憶を持っているでしょう。

１９６４年に行われた「東京オリンピック」もまさにその事例であり、東京オリンピック開会式は、１９６４年10月10日に行われました。これを記念して１９６６年に10月10日が「スポーツに親しみ、健康な心身を培う」「体育の日」と定められたのです。実は、東京では平均して10月10日に晴れることが多かったという天候の歴史も踏まえており、当時は大変賢明な政治判断がなされたと言えます。

しかし２０２１年東京オリンピックは1年で最も暑い猛暑の最中の大暑（たいしょ）の日＝7月23日に開会式を行い、「スポーツの秋」ではなく「スポーツの猛暑」という決定を東京都もＪＯＣもＩＯＣも強行しました。これは、日本の天候事情の歴史を全く理解せず、選手や観客にとって最適な開催期間はいつであるのかを全く考慮しない愚かな政治判断であったと言わざるを得ないのではないでしょうか。7月23日（なにさのひ）は大暑であり1年で最も暑い日です。２０１８年に埼玉県熊谷で41・１℃の日本最高気温、米カリフォルニア州のデスバレーで52℃の世界最高気温を記録した日でもあります（ただし古くは、１９１３年にデスバレーで56・７℃の世界最高気温を記録しました）。

猛暑の中での開催に各国や選手からの批判

オーストラリアの「ニュースドットコム」は7月29日、「東京の虚偽主張に世界は謝罪が欲しい」と報道しました。東京オリンピック組織委員会は招致に際し、東京の7、8月は「穏やかで晴れた天候が多く、選手が最善を尽くすために理想的な気候を提供する」と虚偽を言い、「組織委員会は、選手が直面する気象条件について虚偽の主張をしているようだ」と批判しています。米ヤフーでも「東京は地獄のような嘘をついた。代償を払うのは選手だ」と糾弾しています。事実8月1日には国立競技場の公式温度計が40℃を記録しましたが、これがスポーツにとって「理想的な気候」でしょうか？　お天気音痴も甚だしく、「東京は地獄のような嘘をついた」と批判されても仕方ありません。

屋外競技の選手からはクレームが殺到し、テニスの世界ランキング2位メドベージェフは「死んだら誰が責任を取るのか」と批判し、同1位のジョコビッチも開催時間を酷暑でない時間帯に遅らせる変更を強く要求しました。ビーチバレーの選手たちは砂が熱すぎて立てないと苦情を言い、アーチェリー女子では熱中症で気絶する選手が出て、トライアスロン男子では、金メダルを獲得したブルンメンフェルトがフィニッシュラインで倒れこみ嘔吐しました。スケートボードでは高温でボードが曲がる不祥事が起こりました。

女子マラソンでは会場を札幌へ移したものの、真夏日の連続数が過去最高となったため、8月7日前日に開始を突然1時間早める不手際な変更をしたため、参加88人中15人が棄権しました。日本の一山麻緒は一睡もできずに試合に臨まざるを得なかったといいます。銅メダルのセイデルは「クレージー。開いた口がふさがらなかった。すぐにベッドに入った」と訴えました。まさに「スポーツの猛暑」を強行したため、「クレージーな」結果となっています。

8日の男子マラソンでは参加106人中30人が棄権し、服部勇馬は気力で何とか完走を果たしたものの、膝をついて倒れ込み車椅子で搬送されました。彼の体中温度は40℃で、「重度の熱中症」であったそうです。「アスリート・ファースト」とは全くの虚偽ではないか、という市民からの批判が出ました。

室内競技ではクーラーを使用するので特に差し支えありませんが、屋外競技ではクーラーを使用できないので、「スポーツの猛暑」を強行すると競技間の扱いを差別することになり、オリンピック精神に違反します。もはや、正式なオリンピックとは言えないでしょう。

10月5日朝日新聞などのインタビューに答えて、東京オリンピック（五輪）大会組織委員会の橋本聖子会長は、真夏の五輪開催について「この時期にしかやれないのは無理だと、会長をやってつくづく思った。国際オリンピック委員会が持続可能な大会を考えるなら、世界のスポーツ団体と（新たな）枠組みを話し合う必要がある。時代に求められる五輪に生まれ変わっていかなければ」と反省しました。これが正直な本音でしょう。バッハＩＯＣ会長は「開催日程は適切であった」と強弁しましたが、橋本氏の判断の方がはるかに適切で誠実です。

放映権料の利権主義が「スポーツの秋」の開催を妨害した

誰が見ても「スポーツの猛暑」は正気の沙汰ではありませんが、では東京都、ＪＯＣ、ＩＯＣはなぜそれを強行したのでしょうか？　その背後には金目当ての利権主義があります。

近年のオリンピックは開催期間を「スポーツの秋」ではなく「スポーツの真夏」に設けることが多くなりましたが、アメリカなどの諸国ではプロスポーツがやはり競技し易い秋に開催することが多く、オリンピックと重なるとスポンサーからの広告料収入、ネット局の放映権料収入が減るので、NBCなどが秋開催に猛反対したそうです。放送会社は真夏はオリンピックの放映権料やスポンサー料で儲け、秋にはプロスポーツの放映権料やスポンサー料で儲けるという意図で、オリンピックの秋開催に反対している訳です。東京都もJOCもIOCもそうした金目当ての利権に迎合して、放送会社からの放映権料を得るため、「スポーツの秋」を避けて「スポーツの真夏」開催を強行しています。

オリンピックは4年に1回なのでそれを優先して1964年の東京オリンピックのように10月10~26日開催と決め、プロスポーツには開催期間を10月10日以前と10月26日以後にずらしてもらえれば、開催期間は重複せず日程調整できるはずです。そうした調整能力が全く無く、単にプロスポーツ側や放送会社側の利権に迎合するだけの決定をした責任者は、オリンピック精神に違反します。オリンピックに関与するべきではなく、引責するべきでしょう。

4年に1度「全世界から全てのスポーツの代表選手を集めて全世界の友好と平和」を目指すのがオリンピック精神です。貧富に関わりなくどの国も参加できる、贅沢で驕り高ぶった演出は必要ない、予算の許す範囲内で慎ましやかでも謙虚に心のこもった「おもてなし」ができれば良いのです。バッハ会長は1泊300万円のホテルに滞在して銀ブラを楽しんでいましたが、そうした本来のオリンピック精神に反して金目当ての利権主義に走っていることが、全てを狂わせている原因ではないでしょうか。オリンピック精神や参加する選手のことを本当に考えて開催日程を決めたのか否か、一部の利権を優先させているのではないか、選手も国民も世界の人々も大いに疑念を持たざるを得ないでしょう。

名君徳川吉宗公の教訓

エコノ教授：東京オリンピックについて、コロナパンデミックとの関連だけでなくオリンピック精神にまで踏み込んだ問題の指摘をしてもらいました。

江戸幕府8代将軍の徳川吉宗は、享保の改革などで幕府財政を立て直して中興の祖と呼ばれていますが、紀州藩主であった頃から市中を見て回り、庶民の声を聴くために「訴訟箱」を設置しました。将軍になってからは「目安箱」を設置して庶民の声を聴こうとしました。長良川氾濫の治水工事の際には、幕府の工事方法を批判して新案を提示した者を処罰するのではなく、逆に責任者に命じて治水工事を成功させました。

こうした批判を受け止めて考慮する、度量の広い、聞く耳を持った政治こそ、吉宗を名君としたのです。どんな意見でも聞いて日本を本当に良くしたいという真実の魂が吉宗にはあり、それが国民の心を捉えて日本を歴史を動かしたのです。利権や我欲にこだわって聞く耳を持たない者は、国民の心を捉えることもなく、日本も歴史も動かすことはありません。指導者として失格であり、潔く責任を取るべきではないでしょうか。

4　東京オリンピックの収支計算は？

東京オリンピックの収支計算

エコノ教授：さて、東京オリンピック組織委員会と東京都は、２０１９年末に大会開催経費を1兆３５００億円とする予算案を公表しましたが、延期に伴う追加費用２９４０億円を加えて、２０２０年12月には総額1兆６４４０億円とする予算案（第5版）を公表しました。支出では、会場整備費が計８０７０億円、大会運営費が計７３１０億円、新型コロナ対策費が９６０億円、調整費が１００億円、総額で1兆６４４０億円となっています。

これに対して収入では、ＩＯＣ負担金が８５０億円、ＩＯＰスポンサー料が５６０億円、国内スポンサー料が３５００億円、ライセンシング料が１４０億円、チケット売上が９００億円、その他が３５０億円、増収見込みが７６０億円、調整額が１５０億円、総額で７２１０億円となっています。

よって経費分担では、組織委員会が収入の全額７２１０億円を経費に回して負担し、それを超過する赤字分については、東京都が７０２０億円、国が２２１０億円を負担することとなっています。コロナ対策費９６０億円は全額国が負担します。

無観客による観客収入の赤字は誰が損害賠償するべきか

　ところが開催直前の7月12日になって急遽「無観客」を決定したため、チケット売上収入の900億円は実現しないので、東京都か国が追加負担せざるを得なくなると言います。それは、結局は都民と国民が税金の形で負担します。つまり都民と国民の税金負担額は、7020億円+2210億円+900億円=1兆130億円に上ります。

　都民や国民がこれだけの税金負担をして東京オリンピックを開催し、それでも都民や国民が「ああ良かった」と満足すれば、何とか成功したと言えるでしょう。しかし「これだけの税金負担には値しない」と不満足を感じれば、不成功だったとなるでしょう。そもそも新型コロナのパンデミックが収束してから開催すれば、こうした無駄な赤字負担をする必要がありませんでした。そうならざるを得ない拙速で稚拙な政治判断をした東京都やJOC、IOCの責任者こそ、その赤字の全額を損害賠償するべき責任があります。都民や国民の税金に転嫁するべきではありません。こうした無責任で利己主義的な政治判断に対して、都民や国民の過半数は中止か再延期を求めて反対してきました。

　通常、オリンピック開催に伴う経済の波及効果がありますが、緊急事態宣言の下で7割もの経済活動自粛を強いられた上に、「無観客」という前代未聞の異例な開催方式では、経済の波及効果はほとんど無く、観客収入や観光料収入はゼロとなり、史上最低・最悪になった危険性があります。緊急事態宣言の最中で無理矢理開催を強行して無観客とするならば、何故開催日程を秋の9〜10月に設定しなかったのでしょうか。国民世論の過半数が延期か中止を求めているのに反して、なぜ2021年開催に利己主義的に執拗にこだわって、2022年開催としなかったのでしょうか。多数の国民世論を無視したので、政治判断としては極めて利己主義的であると言わざるを得ません。名君徳川吉宗公ならば、躊躇なく断罪したことでしょう。

誘致の贈収賄罪の裁判費用は誰が負担するべきか

またBBCニュースによれば、フランス司法当局は、竹田恒和・元招致委員会理事長・前JOC会長が東京オリンピック・パラリンピック招致のために、シンガポールのコンサルタント会社、ブラック・タイディングズ（BT）社に支払った約2億3千万円が、開催都市決定の投票権を持つIOCの委員側への贈賄に使われた疑いがあるとして捜査しています。その弁護費用が2020年度までの3年間で約2億円に上り、その全額を竹田氏が2019年6月まで会長を務めていたJOCが負担していることが、最近になって暴露されました。日本の司法当局がフランス司法当局と協力して捜査していない理由は判然としませんが、仮に裁判で有罪判決が出ればJOCも同罪となるので、重大な疑獄となる危険性があります。

オリンピック終盤・直後の世論調査

時事通信が8月6〜9日に実施した世論調査で、菅内閣の支持率は政権維持危機ラインとされる3割を切って29・0％で、不支持率は48・3％でした。支持率が2カ月連続で政権維持危機ラインを下回ったのは、第2次安倍政権以降初めてでした。

同調査では、政府のコロナ対応を「評価しない」が55・2％、「評価する」が25・7％、「どちらとも言えない・分からない」は19・1％でした。ワクチン接種の進捗に関しては、「遅い」が72・4％で、「順調だ」は16・3％と大きく下回りました。内閣を支持する理由（複数回答）は、「他に適当な人がいない」が最多の14・1％、「首相を信頼する」が6・5％、「誰でも同じ」が5・2％と続きました。与党内にも野党にも他に適当な人がいない、が最多であることは、現内閣以外でも充分重く受け止めて反省するべきでしょう。支持しない理由（同）は、「期待が持てない」と「リーダーシップがない」が最多の27・1％で並んでいます。

またヤフーのメール投票では、オリンピックは「失敗したと思う」が約20万票で57・8％と過半数を占め、「成功したと思う」が約12・5万票で36・1％、「その他／分からない」が約2万票で6・1％でした。

1日2万6000人感染という第5波の感染大爆発が進行する中で、4回目の緊急事態宣言を発出しても歯止め効果は全く無く、激増の一途を辿りました。既に説明した通り、専門家会議の間違った方針に基づく「Stop & Go 政策」のコロナ対策をしても、コロナ禍は収束するどころか、激増の一途を辿っており、とてもオリンピックのお祭り騒ぎどころではありませんでした。国民の大多数の反対を全く無視し、慌てふためいて感染大爆発の最中にオリンピックを強行したことは、正気の沙汰ではありません。

また、「スポーツの猛暑」に開催したことは選手に過酷な負担をかけました。それを乗り越えて頑張った選手は誉められるべきですが、だからといって感染大爆発中の猛暑に開催を強行するという非常識な判断をした責任は免れません。東京都、ＪＯＣ、ＩＯＣの責任者は、重大な責任を取るべきでしょう。無観客で強行したため９００億円の損失が出ましたが、この損失も都民や国民の税金に転嫁する無責任を止めて、責任者自身が損害賠償する責任があるでしょう。

菅首相退陣の理由とは

これら失政の連続と厳しい世論を受け、与党内で菅降ろしが始まりました。菅義偉首相は、９月２日には総裁選出馬を二階幹事長に届け出たにもかかわらず、安倍前総理や麻生副総理との会談では総裁選直前の内閣改造や党役員人事改造で同意が得られず、翌９月３日午前11時半には自民党役員会で、９月の総裁選挙に立候補しないことを決断し表明しました。

菅首相は無派閥であるがゆえ主要派閥の了承が得られないと内閣は維持できないので、国民世論を真摯に受け止めて、大変潔い誠実な辞意の決断を行いました。驕ることのない人柄は立派ですが、コロナ対策や東京オリンピック開催の政治的判断では、取り巻きの間違った提言に惑わされて重大な錯誤を生じました。コロナ対策が後手に回って失敗した上、第５波の大激増を招いて非常事態宣言の中で東京オリンピックを強行したため、お膝元の横浜市長選挙では敗北を喫し、与党の若手や中堅の議員の間で次回衆院選挙は戦えないという不信感が急速に強く広がり、菅総理の党内での支持が急速に失われました。

ＡＰ通信は、辞任の背景を「新型コロナウイルス対策の遅れと、国民が懸念する中で東京オリンピックを開催したことが批判され、支持率が急落した」と解説しました。世界と比べて日本だけが、コロナ感染者数の第５波が突出して巨大になったことは、まさに日本特有の現象であり、新型コロナウイルス対策が遅れた失策と危機管理政策の間違い、緊急事態宣言の下で国民の過半数が反対する中で東京オリンピックを強行したことが原因であること、を裏付けていると言えるでしょう。こうした結果を招来した内閣や東京オリンピック開催の責任者は、菅総理を見習って潔く責任を取るべきではないでしょうか。

成功か失敗かの審判は

成功か不成功かの心理的な満足感と経済的な波及効果、それに新型コロナによる感染者や重症者や死亡者の悪影響を総合的に判断して、国民はオリンピック終了後の衆議院選挙で投票します。それが東京オリンピックについての国民による「最後の審判」が下る時になるでしょう。また世界の責任ある政治判断をする立場の方々は、国民の審判を重く受け止めるべきです。

人々も、成功か不成功かの心理的な満足感と経済的な波及効果、それに新型コロナによる感染者や重症者や死亡者の悪影響を総合的に判断して、2021年東京オリンピックに対して「審判」を下すでしょう。肯定的な審判がされれば結構ですが、否定的な審判がされれば、世界の人々は日本から離れていき、日本の国益と諸外国との友好関係は傷付けられるでしょう。

今までの失策に対する国民の批判を重く受け止めて考慮する、度量の広い、聞く耳を持った政治こそ、都政や国政に真に求められています。どんな意見や批判でも聞く耳を持って、日本を本当に良くしたいという真実の魂があれば、失策の反省の上に正しい政策が見いだされ、多数の国民の支持の元に有効に実行できるでしょう。そうすれば名君徳川吉宗公のように、国民の多数から尊敬を得ることができるでしょう。

あとがき

1918～20年に世界的に猛威を振るったスペイン風邪は、推定症例数5億人、推定死亡者数1700万人～5000万人とされ、推定致死率は3・4～5・0％とされています。

これに対して、2019年12月中国・武漢で発生した新型コロナ感染症は、2021年10月4日現在、日本では累積感染者数は171万人、累積死亡者は1万7759人に上り、致死率は1・02％です。世界全体では累積感染者数は2億3350万人、累積死亡者は477万7503人に上り、致死率は2・05％と日本の2倍です。

医療技術が格段に進歩した現代では、スペイン風邪に比べて新型コロナの致死率は低いですが、これだけ長期に亘って広範囲に拡大し、477万人もの死亡者を出しているので、人類が直面する感染症としては、100年に1度の重大なパンデミックと言えるでしょう。

本書で見てきたように、日本の専門家会議や政府は、新型コロナに対抗する有効な抜本的医療対策を立案できなかったため、緊急事態宣言を発出することで急激で大幅な経済活動抑制策に走りました。その効果が出て波が収束したと判断されると、今度は急激に宣言解除をし、その結果、大きなリバウンド効果によって更に感染者、重症者、死亡者を激増させました。

ただし累計の致死率は、2020年6月の5・4%から現在は1・02%へ趨勢的に低下してきています。その原因としては、医療技術の進歩、国民の大多数による除菌・消毒など広範な公衆衛生対策、ワクチン接種の拡大、「ファクターX」などの諸要因が考えられます。

そこで本書では、医療政策、危機管理政策、経済政策の総合政策的観点から、こうした困難な諸問題の原因を究明し、対策を検証してきました。

本書で繰り返し述べてきた危機管理政策の基本戦略をしっかりと実施すれば、最強と言われるミュー株の拡大によって次の第6波が襲来したとしても、第5波のような感染大爆発を招くことはなく、波を比較的にマイルドに抑制することが可能となるでしょう。

また、本書で提起した新型コロナ感染症に対する医療政策の実施も、第1波から第5波まで繰り返してきた失策とは異なる結果をもたらすでしょう。

日本経済は2019年10月からの消費税再増税によって消費税不況に突入していましたが、追い討ちをかけるようにコロナ不況が深刻化しました。これにより国民の多くは生活が苦しくなり、経営破綻に追い込まれる店舗や企業も続出しました。

本書第Ⅱ部では安定成長や民間活力を回復する経済政策として、コロナ禍以前からあった消費税増税不況と併せ、コロナ不況から脱する具体的な対策を提起しました。①消費税減税など減税により消費や投資を喚起する政策、②急激な引き締めや緩和を止めて安定成長や安定通貨供給をする政策、③政府の恣意的介入を止めて規制緩和する政策、④財政支出の合理化・削減により財政赤字を改善する政策が肝要でしょう。
「歴史は繰り返す」の言葉通り、これまで日本のみならず各国は国難に際して「Stop & Go 政策」のような失政を重ねてきました。それらを反面教師として、本書で述べたような危機管理政策、医療政策、経済政策を体系的かつ総合的に検討し、有効で適切な総合政策を策定・実施していけば、本書の題名通り、『新型コロナとコロナ不況の克服』への道が開けてくるでしょう。

最後に、本書の題名等についてご相談頂いた花伝社の平田勝社長、また本書の企画や構成や題名等についてご相談頂き、細かな編集作業や校正作業から出版に至る労を執って頂きました花伝社編集部の佐藤恭介氏には、心から御礼・感謝を申し上げる次第です。

著者

林 直嗣（はやし・なおつぐ）
法政大学名誉教授、SBI 大学院大学客員教授、日本経済政策学会元副会長。
1974 年慶應義塾大学経済学部卒業。1976 年同大学院経済学研究科修士課程修了。1979 年同大学院経済学研究科博士課程修了。1982 年トロント大学大学院政治経済学研究科博士課程中退。1983 年法政大学経営学部専任講師。1986 年同学部助教授。1993 年同学部教授。2013 ～ 2016 年日本経済政策学会副会長。2017 年法政大学ベストティーチャー賞。
単著書に『ミクロ経済学入門』（世界書院、1992）、『カナダの金融政策と金融制度改革』（近代文藝社、1994、カナダ首相出版賞受賞）、『経済学入門』（新世社、2013）など。共著書多数。翻訳書に『奇跡の選択』（ミルトン・フリードマン著、三笠書房、1984）など。

新型コロナとコロナ不況の克服——危機に打ち勝つ総合政策

2021年11月20日　初版第１刷発行

著者 ——林　直嗣
発行者 —平田　勝
発行 ——花伝社
発売 ——共栄書房
〒101-0065　東京都千代田区西神田2-5-11出版輸送ビル2F
電話　03-3263-3813
FAX　03-3239-8272
E-mail　info@kadensha.net
URL　http://www.kadensha.net
振替 ——00140-6-59661
装幀 ——黒瀬章夫（ナカグログラフ）
印刷・製本— 中央精版印刷株式会社

ISBN978-4-7634-0985-0 C0036